천 번을 흔들려야
어른이 된다

천 번을 흔들려야
어른이 된다

세상에 첫발을 내디딘 어른아이에게

김난도 지음

오우아

어느덧
어른이 되어 돌아온
J에게

차례

이제, 흔들리며,
어른의 문턱에 선 그대에게

지난겨울은 유달리 집요했습니다. 응당 봄에게 자리를 내주어
야 할 때가 되었는데도 겨울은 악다구니를 쓰며 버티더니, 4월 말
소란스러운 비가 한바탕 으름장을 놓은 후에야 비로소 물러갔습니
다. 겉늙은 봄이 그 자리를 차지하지 못하고 어정쩡 머뭇거리는 사
이, 젊은 여름이 재빨리 도시를 점령해버렸습니다. 두 계절의 다툼
에 죽어나는 것은 꽃이며 잎 들이었습니다. 올봄엔 매화, 개나리,
진달래, 목련, 철쭉, 벚꽃이 제 순서를 지키지 못하고 한꺼번에 터
져나왔습니다. 겨울이 가는가 싶더니 어느새 초여름이 되어버린
것입니다.

우리는 봄을 잃고 있습니다.

사회도 자연을 흉내내는 것일까요? 자연이 느긋한 봄을 상실한 것처럼, 사회도 싱싱한 청춘을 잃고 있습니다. 청소년기를 치열한 입시경쟁 속에서 겨우 마치고, 푸른 꿈 높이 세워야 할 청춘들이 한층 더 엄혹해진 스펙 싸움에 내몰리다가 어느 날 확, 어른으로 내처집니다. 돈 벌고 세금 내고 결혼하고 아이 낳고…… 내키지 않는 어른 역할에 맞닥뜨립니다. 아직 준비가 덜 되었는데, 어른 시늉을 해야 합니다.

계절은 봄을 건너뛰고, 인생은 청춘을 건너뜁니다.

일단 취직만 되면 어떻게든 될 줄 알았습니다. 하지만 갑자기 커져버린 책임들 속에서 좌충우돌 부딪히며 길을 잃고 나서야, 어른이 된다는 것이 거저 이루어지는 일이 아니라는 걸 깨닫습니다. 청춘은 젊음이 자연스레 가져다주었는지 모르지만 어른은 다릅니다. 나이를 먹는다고, 학교를 졸업한다고, 절로 어른이 되진 않습니다. 시행착오를 되풀이하고 흔들리며 조금씩 삶을 배워나가면서, 꼭 그만큼씩만 어른이 됩니다.

우리는 그렇게 겨우, 어른이 되어갑니다.

∿

좌절의 시대입니다. 과거 어느 때보다도 경쟁이 혹독해졌습니다. 출구가 보이지 않는 답답한 어둠 속에서 목적지가 어디인지 모르는 채 모두가 무작정 달리고 있습니다. 이 이상한 경주에서, 이겼다는 사람을 찾아보기 힘들어졌습니다. 이념과 빈부와 계층과 세대와 지역의 격차가 넓어지면서, 사회는 구심력을 잃고 원심력만 커졌습니다. 갈등을 봉합해야 할 사람들이 갈등을 조장하고 이용하는 사이, 보통 사람에게는 패배의 계절이 길어지고 있습니다.

경제가 침체되고 정치는 무기력하며 미래마저 불확실합니다. 사회는 더욱 개방되고 있다는데 질식할 것처럼 답답해지니 참 이상한 일입니다. 회사와 정부가 우리를 보호해준다는데 숨 막히도록 불안해지기만 하니 참 알 수 없는 일입니다.

이러한 시대적 동요 속에서 가장 흔들리는 것은 이제 막 사회에 발을 내디디려는 '어른아이'들입니다. 어른아이, 아직 어른이랄 수도 그렇다고 아이랄 수도 없는 '새내기 사회인'들을 어른아이라고 부르고 싶습니다. 학생으로 보호받는 시기는 끝나버렸지만, 그렇다고 어른으로 대접받지도 못하는 사람들을 어른아이라고 부르겠습니다. 이들은 아직 어른 세상의 주변을 머뭇머뭇 서성입니다. 호기롭게 학교 문을 나서 세상에 발을 내디뎠지만 맞닥뜨린 사회의 새로운 규칙에 서툴고 가진 것도 많지 않으니 경쟁이 쉽지 않습니다. 이 차가운 사회는 초심자들에게 쉽게 관용을 베풀지 않습니다. 청춘의 요람인 학교의 울타리가 주는 너그러움에 익숙해진 어른아이들이 냉혹한 기성의 논리에 익숙해지기까지는 아직도 더 많은 시행착오가 필요할 것입니다.

세상이 외로워졌습니다. 다들 자기 일에 바쁩니다. 아이러니하지 않은가요? 휴대폰이나 인터넷처럼 편리한 의사소통 수단은 급속도로 발달했는데, 정작 대화와 공감이 사라지고 있습니다. 예전에는 트위터나 페이스북 같은 매체는 없었지만, 대신 '사람'이 있었습니다. 가족끼리 대화하고 친구와 만났습니다. 서로 관심을 가져주고 함께 아파했습니다. 내 이야기를 들어주는 누군가가 있었습니다.

청춘의 시기가 아프다고는 하지만 어쩌면 어른이 된 지금보다는 행복했는지 모릅니다. 그러나 그것은 말하자면 수족관 속의 행복입니다. 한결같은 조명, 따뜻한 온도, 함께 생활하는 친구와 가족, 때맞춰 주어지는 먹이…… 그렇지만 그 평안의 대가는 두꺼운

유리벽입니다. 나름대로 세상을 경험했다고 생각했지만, 적지 않은 젊은이들에게 어쩌면 그것은 가족과 학교라는 보호막 안쪽에서 '바라본 세상'이었는지도 모릅니다.

　이제, 어른이 됩니다. 유리벽이 깨졌습니다. 수족관 밖으로 던져진 헐떡이는 물고기가 된 것입니다. 이제는 따뜻한 물도, 밝은 조명도, 주어지는 먹이도 없습니다. 무엇보다…… 혼자입니다. 수족관 안에서 함께 지내던 가족과 친구가 이제는 보이지 않습니다.

　삶의 갖가지 고민들은 여전히 해결된 것이 없는데, 어른이 되었다는 이유로 누구에게도 털어놓지 못하고 가슴속에서 삭여야만 합니다. 아픔 중에 가장 큰 아픔은, 아픈데도 아프다고 말하지 못하는 것입니다. 더욱 심각한 문제는 사회생활의 타성에 젖어 분주하게 살다보면 그 아픔을 당연시하게 된다는 점입니다. 좌절의 상처에 시간의 딱지가 내려앉으면서 이제는 그것이 아픔이라고 느끼지도 못합니다. 아프다고 말하는 순간 어리광이 될까봐 입을 꾹 다문 채 홀로 병들어가고 있습니다.

　어른들은 종종 청춘을 보며 불만을 토로합니다. "옛날에는 안 그랬는데, 요즘 애들은 도대체 왜 이래?" 하지만 요즘 어른들을 보면 그런 생각이 듭니다. '옛날에는 안 그랬던 것 같은데, 요즘 어른들은 도대체 왜 이래?' 요즘엔 어른이 어른답지 못한 것 같습니다.

자꾸 실수하고 자꾸 아파합니다. 왜 그럴까요?

청춘의 아픔이 불안함에서 온다면, 어른의 아픔은 흔들림 때문이라고 생각합니다.

아직 학생이었을 때 어른들을 바라보면 너무나 확고해 보였습니다. 길에서 마주치는 수많은 어른들의 굳은 표정에서 우리도 직장을 갖고 나이가 들어 어른이 되면, 저렇게 확고한 삶의 태도를 갖출 수 있을 것이라 생각했습니다. 하지만 막상 그 나이가 되어보니 그게 아니라는 걸 알겠습니다. 그들도 남몰래 흔들리고 있었던 것입니다.

어른이 된다는 것은 간섭이 줄어든다는 뜻이기도 합니다. 생활과 공부를 지도할 선생님은 이제 없습니다. 경제적으로도 어느 정도 자립할 수 있고 가족과 떨어져 지내는 시간도 많아집니다. 자유롭지요. 하지만 자유롭다는 것은 스스로 통제하지 못하면 걷잡을 수 없이 무너질 수밖에 없다는 의미이기도 합니다.

흔들립니다. 제법 세워왔던 삶의 원칙이 흔들리고, 사회라는 무대에서 새로 인연을 만들어야 하는 인간관계가 흔들리고, 수입과 지출의 끝을 스스로 맞춰나가야 하는데 소비의 원칙이 흔들립니다. 학생 때 잘한다고 칭찬받았던 일들이 어른사회에서는 더이상 잘하는 일이 아니라고 합니다. 그렇게도 갈망했던 직장에 들어가고 보니 오히려 더 막막해지기만 합니다. 이성관계도 더이상 풋사랑만으로 설명이 되지 않습니다. 섹스를 고민해야 하고 결혼을 염두에 두어야 합니다. 폭우처럼 쏟아지는 인생의 아픔과 좌절 앞에서 과연 내 삶은 살아갈 가치가 있는 것인가에 대한 근원적인 자존감마저 흔들립니다.

이 책은 이제 흔들리며, 어른의 문턱에 선 당신을 생각하며 썼습니다. 조금 먼저 어른이 된, 가끔은 아직도 어른 행세에 서투른 내가 당신의 이야기를 '듣기' 위해 쓴 책입니다. 책이란 '말하는' 매체인데, 이 책을 통해 이야기를 '듣겠다'고요? 그렇습니다. 저는 어른의 비밀을 일방적으로 가르치고 싶지 않습니다. 그저 따뜻하고 열린 경청자가 되고 싶습니다. 자신의 문제를 스스로에게 제 목소리로 말하도록 도와주고 싶습니다. 읽기만 하면 결론에 다다를 뿐이지만, 자신의 이야기를 시작하면 스스로를 치유할 수 있습니다.

그러므로 이 책을 통해 그간 꾹꾹 눌러온 당신의 이야기를 시작하세요.

또한 저는 이 책이 당신의 거울이 되기를 희망합니다.

거리에 나가면 약도가 있습니다. 길을 찾을 때 당신은 지도에서 무엇부터 찾나요? 당신이 가장 먼저 주시해야 할 것은 'You are here'라고 쓰인 현재위치입니다. 아무리 정교하게 각 건물의 위치를 표시해놓았더라도, 지금 여기의 좌표를 알려주지 않으면 지도는 아무 소용이 없습니다. 인생도 마찬가지입니다. 내가 어디에 존재하고 있는지, 'I am here'를 찾지 못하면 목표도 실행계획도 무의미합니다. 이 책은 갓 어른이 되어 서먹한 사회의 낯선 거리에 들어선 당신의 'You are here'를 비춰주는 거울이 되고 싶습니다.

이 책은 조금 독특한 거울이 될지도 모릅니다. "거울아, 거울아, 세상에서 누가 제일 예쁘니?" 하고 물으면, "바로 당신입니다"라고 대답해주는 그런 거울 말입니다. 지금 이렇게 독한 혼돈의 시기를 보내고 있지만 당신에게는 여전히 가장 아름다운 가능성이 한 가지 남아 있다고 나지막이 말해주는 그런 거울 말입니다.

그래서 나는 당신이 이 책을 단숨에 읽어버리는 것이 아니라, 손거울처럼 종종 꺼내 조금씩 천천히 읽었으면 좋겠습니다. 나는 누군가의 계기가 되고 싶습니다.

이 책을 쓰면서 어른이란 인간발달의 특정 '시점'을 가리키는 말이 아니라, 삶의 흔들림을 스스로 잡아나가는 '과정'을 가리키는 말인지도 모른다는 생각을 했습니다. 우리는 그렇게 엉망으로 흔들리면서도 조금씩 자리를 잡아가며 어른이 되어가는 것이라고요. 바로 내가 그렇게 어른이 되어왔다고요.

한 가지 묻겠습니다. 어떤가요, 당신은 어른입니까?
이 책은 이 질문의 무게에 관한 것입니다. 이제는 어른이라 불리는 당신이 짊어져야 하는.

✽

대학에 진학하는 아들을 위해 썼던 책 『아프니까 청춘이다』의 마지막 글 「교정을 나서는 그대에게」는 이렇게 끝납니다.

교정을 떠나는 젊은 그대여, 청춘이여.
졸업을 축하한다.
그리고, 건투를 빈다.

이제 그 지점에서 이야기를 시작하려 합니다. 학교를 떠나 사회에 나가 '겨우 어른 되기'를 시작할 때의 그 흔들림에 대해 말하고자 하는 것이지요. 그래서 이 책은 이렇게 시작하고 싶습니다.

이제 겨우 어른이 되려는 흔들리는 그대여,

진짜 인생에 들어온 것을 연민으로 환영한다.

그리고, 건투를 빈다.

2012년 8월

초록이 흐드러지는 우면산을 바라보며

제1부

아모르파티,
네 운명을 사랑하라

J에게

첫 직장을 그만두겠다는 너를 보내고

J.

잘 들어갔는가? 오늘 저녁에는 아무래도 술이 필요할 것 같다
더니, 혹시 아직도 혼자서 한잔하고 있는 것은 아니고? 술 너무 많
이 마시지 말게. 내일 또 일찍 출근해야 하잖아.

오늘 힘들게 나를 만나러 왔을 텐데, 듣고 싶어했던 조언을 주
지 못한 것 같아 내내 마음이 안 좋았어. 그래 이렇게 자네 학창 시
절의 오래된 이메일 주소를 찾아냈네.

아무래도 직장을 그만두는 것이 낫겠다고 했지? 황금 같은 대

학생활을 다 바쳐 들어간 회사가 기대와는 전혀 다르다고. 다른 회사에 입사한 선배 B는 그 회사가 마냥 좋고 '이게 꿈인가 싶어' 꼭 한 번씩 책상을 쓰다듬고 퇴근해서 동료들의 야유를 일제히 받았다는데, 나는 왜 이런지 모르겠다고. 돌이킬 수만 있다면 차라리 그리로 갈 걸 그랬다고 말이야. 결의에 찬 자네의 마지막 질문이 아직도 귀에 쟁쟁해.

"선생님, 남들이 뭐라든 지금이라도 어릴 적부터 품어온 꿈을 다시 찾아가는 게 맞겠죠? 너무 늦어지기 전에 말예요."

자네는 이 질문을 하며 간절한 눈으로 나를 바라봤지. 그것은 내게 답변을 구하는 것이 아니라 동의해달라는 간청의 눈빛이었어. 나는 느꼈어. 내가 이미 여러 차례 인생의 진로를 바꿔왔으니까 누구보다도 흔쾌하게 격려해줄 수 있지 않겠느냐는 자네의 표정, 오랜 시간을 함께 생활한 지도교수니까 이 불안한 갈림길에서 흔들리는 마음에 용기를 줄 수 있지 않겠느냐는 그 눈빛을.

그럼에도 나는 "잘해보라"는 그 흔한 덕담 한마디를 해주지 못하고 자네를 보냈어. 그것이 여전히 마음에 걸려. 어쩌면 그래서 이 편지를 쓰게 됐는지도 몰라. 내가 왜 흔쾌하게 자네 등을 두드려주지 못했는지, 그 얘기를 조금 자세히 해보려고.

내가 가장 염려하는 것은 그 "어릴 적부터 품어온 꿈"이 왜 갑자기 지금 이 시점에서 자네 마음속에 자리를 넓혔느냐, 하는 점이야. 첫 직장에서 한창 적응해야 할 시기에 말이지. 그래서 꿈을 말하기 전에 일단 스스로를 돌아보았으면 좋겠어. 그 꿈이라는 놈이 실은 치열한 생활을 방해하는 훼방꾼은 아닌지, 고단한 자네의 현실에서 도망치려는 핑계는 아닌지.

자네는 왜 떠나고 싶은 걸까? 스스로를 조금만 더 객관적으로 들여다봐. 업무가 너무 많아서 피곤한가. 일이 적성에 맞지 않는가. 주어진 과업을 해내기에 능력이 부족한가. 직장 분위기나 시스템이 불합리한가. 동료나 상사 중의 몇 명이 견디기 힘들 정도로 '진상'인가. 고용이 불안정해서인가. 아니면 급여나 복지 수준이 너무 낮기 때문인가.

자, 이제 다시 한번 물을게. 자네는 진정 "어릴 적부터 품어온 꿈을 다시 찾아가"기 위해 너무 늦기 전에 회사를 떠나려는 것인가? 아니면 지금 말한 몇 가지 이유 때문에 떠나고 싶은데, 스스로를 합리화하기 위해 꿈 이야기를 떠올리는 것인가? 만약 후자라면 비겁해. 자네를 믿었던 사람에게, 그리고 스스로에게 비겁해. 반성하게. 꿈이란 그럴 때 쓰는 단어가 아니야.

아, 오해는 하지 마. 내가 일단 자네를 회사에 붙잡아두려고 이런 이야기를 하는 것은 아니야. "들어갔으면 무조건 일 년은 버텨라", 뭐 이런 충고를 하려는 것도 아니고. 이봐, 나는 사장님 편이 아니라 자네 편이라고.

나는 다만 자네가 스스로를 좀 객관적으로 바라보았으면 하는 것뿐이야. 왜 회사를 떠나고 싶은지, '꿈'처럼 아름답지만 모호한 단어를 사용하지 말고 최대한 차갑고 분명한 단어로 스스로를 냉철하게 돌아본 후, 결단 내리기를 바라는 것이지. 그래야 후회 없는 선택을 할 수 있으니까. 그래야 회사를 떠난 후 뒤돌아보지 않고 뚜벅뚜벅 자네의 길을 걸어갈 수 있으니까.

잔인하지만 이 말부터 먼저 해둬야겠어. 우리가 행복해지기 위해서 일하는 건 맞지만, 조직이란 본디 사람을 행복하게 해주는 존재는 아니야. 본질적으로 개인과 조직은 충돌하게 되어 있지. 자네의 고민은 아주 자연스럽고 보편적인 거야. 자네는 혼자가 아니란 말이지.

취업준비생들의 로망처럼 출근이 그렇게 달콤한 것만은 아니야. 학교와 직장은 하늘과 땅만큼이나 다르거든. 하나는 돈을 내고 다니는 곳이고, 하나는 돈을 받으며 다니는 곳이야. 다를 수밖에 없지. 그래서 얼마 전까지 학생이었던 친구들은 회사에 적응하기가 쉽지 않아. 매일 아침 일찍 출근해야 하고 밤늦게까지 초과근무하기 일쑤야. 인간관계도 학교처럼 대등하지 않아. 업무를 중심으로 상하로 타이트하게 전개되지. 신입사원은 당연히 그 인간관계의 먹이사슬에서 제일 밑바닥에 놓인다고. 사회 용어를 쓰자면, 당분간은 꼼짝없이 을乙, 아니 병丙이고 정丁이야.

৵

기억이 나네. 자네는 학교 다닐 때 공부도 잘했고, 우수한 성적으로 입사했지. 다들, 그리고 누구보다 자네 스스로가, 기대가 컸겠지. 그래서 "J씨, 입사성적이 좋아서 기대가 컸는데, 이것밖에 안 돼?"라는 말이 그렇게도 모욕적이었을지 몰라. 학교에선 누구도 그런 식으로 말하지 않잖아? 자존심도 많이 상했겠지. 어쩌면 자네 정도 스펙이면 헤드헌팅 회사에서도 충분히 관심을 가질 것이라는 데 생각이 미치면, '이런 대접을 받으면서 여기 붙어 있을 이유가 없다'는 마음이 드는 것도 당연해.

하지만 공부머리하고 일머리는 조금 다르다네. 학교는 지식이 필요한 곳이지만, 사회는 실행이 필요한 곳이기 때문이야. 자네가 학교에서 배웠던 지식은 종이 속에 갇힌 활자들이었지만, 자네가 사회에서 실행해야 하는 업무란 살을 에고 마음을 후벼파는 '현실'이기 때문이지. 그러니까 자네가 사회에서 처음 느끼는 좌절은 어쩌면 당연한 거야. 너무 실망할 필요는 없어. 지금부터 또 배우고 커나가면 되니까.

이게 굉장히 중요해, 배우고 커나간다는 것. 일을 좀더 잘하게 되어 회사에서 더 빨리 인정받는 인재가 되라는 말이 결코 아니야. 말했잖아, 나는 사장님 편이 아니라 자네 편이라고. 여기서 열쇳 말은 자네가 '성장' 한다는 것이야. 인생이 펼쳐지는 터전의 절반인 직장에서 자네가 차츰 역량 있고 성숙한 존재로 자라난다는 사실, 이게 핵심이야. 진실로 자네를 행복하게 해주고 만족시킬 수 있는 것은 돈이나 승진, 인정이 아니라 자네의 성장이란 말이야. 성장은 중요한 단어야, 존재와 동의어일 만큼.

그러니까 이직을 결심할 때는, 회사에 대한 불만과는 별개로 자네가 지금 여기서 무엇을 얼마나 배울 수 있는가를 생각했으면 좋겠어. 그게 가장 중요한 기준이야. 회사는 견디기 힘들 때 그만두는 것이 아니라, 자기 발전의 비전이 사라질 때 그만두는 거야. 그러니까 업무나 인간관계나 보수가 문제라면, 조금 더 견뎌봐, 지금 그 자리에서 배울 것이 남아 있는 한. 작은 깨달음이라도 얻어서 조금씩 더 가치 있는 자신을 만들어봐. 하지만 이곳에서는 더이상 내가 진보할 수 없다는 생각이 들 때는, 아무리 대우 좋고 정들고 여유 있는 직장이라 하더라도 과감하게 결단을 내리게.

조직이란 구성원의 헌신을 극대치로 요구하는 탐욕스러운 존재지만, 그렇다고 직원들 등골까지 착취해서 빨아먹는 외눈박이 괴물도 아니야. 구성원이 행복해야 조직의 실적이 좋다는 경영이론 때문인지는 몰라도, 회사도 기본적으로 자네가 행복하기를 바란다고. 물론 그것이 직원을 사랑해서라기보다는 경영성과를 높이기 위해서이긴 하지만 말이야. 더구나 직장은 가정만큼이나 중요한 삶의 영역이야. 잠자는 시간을 빼고 나면, 실은 가정에 있는 시간보다 직장에 있는 시간이 훨씬 더 길어. 그러니까 자네 인생의 성장이 이루어지는 가장 중요한 터전이란 말이야.

부디 현명하게 행동해. 회사를 생계의 수단이 아니라 성장의 도구로 이용해. 자네가 합격통지를 받고, 신입사원 연수를 떠날 때 가졌던 꿈을 생각해. 이곳에서 자네가 이루고자 했던 최고의 모습을 떠올려봐. 그 초심이 가능하다고 생각하면 어떠한 역경도 참아내고, 그 초심을 지켜줄 수 없는 곳이라는 판단이 들면 쿨하게 사표를 던져. 그러고 나서야 비로소 '어릴 적부터 품어온 자네의 꿈'에 대해 말할 수 있는 거야.

그날, 진정으로 자네의 꿈을 이야기할 수 있는 날, 가벼운 발걸음으로 날 찾아오게. 그날은 꼭 내가 자네에게 줄 수 있는 최대한의 격려를 해줄게. 왜냐면 난 잘 알고 있거든, 자네는 지금보다 훨씬 더 큰 자네가 될 자격이 있다는 것을.

잘 자.
오늘 과음했더라도, 내일 아침 출근길만큼은 명징하길 바라. 마음도, 꿈도.

란도샘

추신 B가 유학 간다고 추천서 받으러 다음주에 나를 찾아오겠대. 아직 아무에게도 얘기하지 않았다니까, 비밀로 해줘.

K군에게

잇단 취업 실패로 지친 그대의 기다림에 부쳐

K군, 미안합니다. 내가 생각이 짧았습니다.

나는 단지 취업을 준비중인 독자의 느낌은 어떨까 궁금해서 책의 리뷰를 부탁드렸던 것뿐입니다. 그것이 상처가 되리라고는 미처 짐작하지 못했습니다.

피드백 용지의 뒷장에 꽤 긴 편지를 적으셨죠. 긴긴 삼수생활을 버텨낸 끝에 부푼 꿈을 안고 들어간 대학이었는데, 막상 졸업하고 나서 그보다 더 긴 시간을 취업 준비로 보내야 할 줄은 꿈에도 몰랐다고요. 이 책에 나오는 첫 월급이니, 첫 직장이니, 직장 내 인간관계니 이런 고민들을 해볼 수 있는 기회조차 갖지 못하는 좌절에 대해서는 생각해보지 않았느냐고요. 이 불평등하고 정의롭지 못한 나라에서 사회의 재수, 삼수생이 감내해야 하는 '청춘을 허비한 아픔'에 대해서는 생각해보지 않았느냐고요.

미안합니다. 제가 미처 거기까지는 생각하지 못했습니다. 이 글은 저의 사려 깊지 못함에 대한 사과의 편지이자, 그럼에도 K군이 여전히 놓지 말아야 할 용기에 대한 격려의 편지이기도 합니다. 부디 너무 늦지 않게 도착했으면 좋겠군요.

물론 저도 온몸으로 느낍니다. 우리 사회가 얼마나 구조적인 모순으로 가득한지를요.

1980년대, 대학 독서동아리에서 배운 '파레토의 법칙'이 기억납니다. 20 대 80의 법칙이라고도 하는데, 상위 20%가 부의 80%를 가지는 경제적 불평등에 관한 내용이었지요. 그리고 30년이 지났습니다. 요즘 미국이나 유럽의 'Occupy' 시위를 보면 "우리는 99%다!"라고 적힌 피켓을 흔드는 사람들이 많아졌습니다. 상위 1%만의 세상이 되었다는 것입니다. 통계적으로 사실인지는 모르겠지만, 우리가 체감하는 사회의 불평등은 개선되기는커녕 20 대 80에서 1 대 99로 더 심각해진 것 같습니다.

2000년대까지의 한국 경제는 꾸준한 성장세를 유지했습니다.

그래서 지속적으로 신규 인력이 필요했고, 그리 어렵지 않게 취직이 되었지요. 언제부턴가 경제성장이 예전 같지 않아지면서 새로운 일자리가 충분히 늘어나지 않게 되었습니다. 국민소득이 높을 때 태어나 직업에 대한 눈높이가 높아진 젊은이들에게 옛날처럼 아무 데나 취직하라고 할 수도 없습니다. 이중, 삼중으로 고통스러운 현실이 전개되고 있는 것이지요.

현실이 이렇다면 좋은 일자리를 더 많이 만들어내기 위해 나라를 이끄는 사람들이 머리를 맞대고 진정성 있는 고민을 해야 할 텐데, 그들은 자기 이익이나 재선이 먼저인가봅니다. 다들 제 밥그릇을 지키려고 탁상공론과 대증요법對症療法만 남발하는 사이에, K군의 고통은 점점 깊어만 갔던 것이지요.

바꿔나가야 합니다. '높은 분들'이 해결해주길 기다릴 것이 아니라 우리 모두 힘을 모아 할 수 있는 일들을 해나가야 합니다. 하지만 사회적 모순을 해소한다고 해도 여전히 필요한 변화가 하나 더 있습니다. 바로 K군 스스로의 변화입니다. 훌륭한 외과의사가 암덩어리를 제거해준다고 해도, 환자 자신이 스스로 일어서겠다는 의지를 실천하지 않으면 다시 건강해지기는 어렵겠지요. 우리 사회의 구조적 문제를 해결할 정치·경제적 해법에 대한 얘기를 여기에서 다 할 수 없는 것을 이해해주세요. 지금부터는 K군의 이야기를 해보려고 합니다. 물론 그것이 이 나라에 아무 문제가 없다고 면죄부를 주거나, 모든 문제가 오로지 K군의 부족함 때문이라는 것을 의미하지는 않습니다.

◌

얼마 전 중국 청두에 갔다가 '모죽'이라는 대나무에 대해 들었습니다. 모죽은 씨를 뿌리고 5년 동안은 작은 순이 나오는 것 말고는 아무 변화도 보이지 않는다고 합니다. 그러다가 다섯번째 해가 끝나갈 무렵의 어느 순간부터는 하루에도 몇십 센티씩 무서운 속도로 자라나 거의 25미터에 이르도록 큰다는 것입니다. 신기하지요? 그러니까 모죽은 그 5년 동안 자라지 않았던 것이 아닙니다. 땅속에서 뿌리를 키우며 도약을 위한 준비를 차근차근 하고 있었던 것이지요. 그리고 때가 오면, 다른 어떤 식물보다도 빨리 그리고 높이 커나갑니다.

저는 우리의 인생이 이 모죽과 많이 닮았다고 생각합니다. 물을 한번 끓여보세요. 섭씨 100도에 이르면 아무리 열을 가해도 더이상 온도가 올라가지 않습니다. 그래서 거기서 포기하면 이내 식어버리지요. 하지만 포기하지 않고 계속 열을 가하면 물은 기체로 변해 하늘로 올라갑니다. 질적 도약을 위해서는 아무 성과 없는 인고의 시간을 견뎌내야 하는 것입니다.

그래서 성공이 어려운 것 같습니다. 10만큼 노력해서 10만큼의 성과가 꼬박꼬박 나온다면 당장 결과가 눈앞에 보이는데 누가 노력하지 않겠어요? 하지만 현실은 다릅니다. 100도의 물처럼 아무리 노력해도 전혀 변화가 없는 지점이 있습니다. 많은 사람들이 이 지점에서 어느 정도 시도해보다가 결국 포기합니다. 하지만 이 구간을 묵묵히 버티며 더 뜨거운 땀을 쏟아낸 소수의 사람들이 비로소 성공의 달콤함을 맛보는 것이겠지요.

K군, 견디십시오.
그대는 모죽입니다. 비등점을 코앞에 둔 펄펄 끓는 물입니다.

우리는 저마다 '기회'를 기다립니다. 인생을 한 방에 역전시킬 수 있는 황금 같은 기회라면 더욱 좋겠지요. 많은 사람들이 자신에게만 그런 기회가 오지 않는다고 한탄합니다. 하지만 기회란 '준비'의 동의어입니다. 준비 없는 상태로 맞은 기회는 허망하게 날려버리기 십상이고, 찾아왔는지도 모른 채 그냥 흘려보내기 마련입니다. 차근차근 준비를 마쳤을 때에만 작은 기회를 잡아 크게 쓸 수 있는 것입니다.

일 년 중 해가 가장 높이, 그리고 오래 뜬다는 날이 있습니다. 양력 6월 21일경인 하지夏至입니다. 하지만 우리는 이미 알고 있습니다, 그날이 일 년 중 제일 더운 날은 아니라는 것을요. 가장 뜨거워지는 날은 그 이후로도 태양이 계속 대지를 달구고 난 뒤인 8월 초순입니다. 자신이 최정점에 이른 6월 하짓날에 가장 뜨겁지 않다고 태양이 섭섭해하거나 포기할 이유는 없습니다.

그러니까 아직 기회가 오지 않은 때가 실은 가장 좋은 기회입니다.

준비하세요. 모죽처럼, 끓는 물처럼, 태양처럼.

제 생각엔 K군이 인생의 에스컬레이터를 찾아 헤매는 것이 아닌가 걱정됩니다. 전문직 자격증이나 평생이 보장되는 안정된 직장 같은 것들…… 첫발만 잘 내디디면 단번에 성공으로 이끌어줄 에스컬레이터 말이지요. 하지만 실은 우리의 삶에 에스컬레이터는 없습니다. K군이 부러워하는 그 직군에 가보십시오. 그 안에서도 경쟁은 치열하고 고민은 많으며 생존은 투쟁입니다. 그러니까 직장이란 우리를 단번에 목적지로 데려다주는 에스컬레이터가 아니라, 차근차근 오르면서 그 과정에서 보람을 찾아야 하는 계단 같은 것이지요.

그러므로 일단 버스에 올라타세요. 버스에 올라탔을 때 어쩌면 K군은 당분간 서서 가야 할지도 모릅니다. 다들 앉아 있는데 혼자만 서 있어야 할지도 모릅니다. 제일 신경질 나는 순간이지요. 하지만 서 있다고 해서 앉은 사람들에게 부끄러운 일은 아니지 않습니까? 또 앉아 가는 사람이 선 사람을 비웃을 일도 아니고요. 어쨌든 버스는 갑니다. 우리의 목적지까지.

K군이 지금 취업을 못 하고 있다 해서 인생이 멈춰 있는 것은 아닙니다. 인생이라는 버스는 가고 있습니다. 다만 서서 가야 하다 보니 앉아 있는 사람들보다 힘들게 느껴지는 것이지요. 서 있다고 해서 비굴하다고 느끼지 마십시오. 앉아 있는 사람들을 원망하지도 마십시오. 정 앉아서 가고 싶다면, 다시 버스에서 내려 빈자리가 있는 다음 차를 기다리거나, 필요하다면 종점까지 거슬러올라가서 버스를 타면 됩니다. 초심으로 돌아가서 새로운 출발을 준비하시라는 뜻입니다. 생각보다 늦지 않았거든요.

인공위성을 쏘아올리는 로켓이 성공적으로 궤도에 진입하려면 한 번의 추진만으로는 불가능합니다. 1단 분리, 2단 분리…… 단계별로 연료를 연소시키고 그것을 분리해버리면서 본궤도에 들어서지요. K군도 때가 되면 버리세요. 지금까지 털어내지 못한 나태,

기득권, 자존심, 기회비용 같은 것들을 말이지요. 떨구고 나서 돌아보면, 실은 알량한 것들입니다.

이런 타성들을 분리된 로켓 버리듯이 툭툭 던지고 나면, 그때 비로소 훨씬 가벼워진 자신의 모습을 발견할 것입니다. 꿈을 위해 다시 뛰어오를 수 있도록 한층 새로워진 스스로를 느낄 수 있을 것입니다. 그러고는 다시 날아오를 준비를 시작하세요.

제가 아는 분의 실제 얘기를 해드리겠습니다. 그는 대학을 졸업한 후, 열아홉 차례나 취직 면접에서 낙방했다고 합니다. 오죽했으면 자기 낙방 횟수를 세어봤겠습니까. 처음 몇 번은 그러려니 했겠지요. 그런데 열 번이 넘어가고 스무 번 가까이 되자 이건 취직이 안 되어 슬픈 게 아니라 자기 존재가 사회로부터 거부당하고 있다는 자괴감에 괴로웠다고 합니다. K군이야말로 이해할 수 있을 것입니다. '나'라는 존재 자체가 세상으로부터 거부당하는 듯한 느낌, 그 참혹함을 말이지요.

그는 지금 사장입니다. 입사지원자들의 면접을 볼 때, 꼭 이 말을 덧붙인다고 합니다. "우리가 찾는 사람은 뛰어난 사람이나 훌륭한 사람이 아닙니다. 단지 이 일을 하기에 적합한 기질을 가진 사람을 찾는 것뿐입니다. 어떤 일을 하기에 적합한 사람이 다른 일에서는 매우 무능한 사람일 수 있습니다"라고 말이지요.

그렇습니다. K군은 사회가 거부한 것도, 무능한 것도 아닙니다. 아직 K군을 인정해줄 수 있는 세상과 K군이 가장 잘할 수 있는 일을 만나지 못했을 뿐입니다. 명심하세요. 바닥부터 출발하는 것이 비참한 것이 아니라 시도조차 하지 못하는 것이 비참한 것입니다. 진정한 당신을 말해주는 것은 첫 직장이 아니라 마지막 직장이니까요.

K군, 실망은 하더라도 포기하진 마십시오. 중요한 것은 달리느냐 넘어졌느냐가 아니라, 언제 넘어지더라도 다시 일어날 용기를 가지고 있느냐입니다.

지금 K군이 보내고 있는 이 잉여의 시기는 어쩌면 모죽의 5년일지도 모릅니다. 지금까지 헛되이 날려버린 수많은 이력서들은 어쩌면 100도의 액체를 기화시키기 위한 불꽃이었는지도 모릅니다. 곧 그 기다림의 값어치를 다할 순간이 올 것입니다. 세상에서 가장 높은 대나무로 쑥쑥 커갈 시간이 올 것입니다. 자유로운 기체가 되어 세상을 내려다볼 시기가 올 것입니다.

이 책의 어느 한 구절이 K군의 그 믿음을 되찾을 수 있는 계기가 됐으면 좋겠습니다.

건투를 빕니다.

김난도 드림

추신 아까 그 열아홉 번 면접에서 떨어졌다는 분 말인데요. 고민하다가 실명을 밝힙니다. 이 책을 출간하는 문학동네 출판그룹의 강병선 대표 이야기입니다. 그분이 아니었다면, 내가 이 책을 통해 K군에게 답장을 쓸 수도 없었을 것입니다. 그러므로 K군도, 나도 그의 숱한 실패에 감사드려야겠지요.

견디십시오.
그대는 모죽입니다.
비등점을 코앞에 둔 펄펄 끓는 물입니다.

지금 K군이 보내고 있는 이 잉여의 시기는
어쩌면 모죽의 5년일지도 모릅니다.
지금까지 헛되이 날려버린 수많은 이력서들은 어쩌면
100도의 액체를 기화시키기 위한 불꽃이었는지도 모릅니다.

곧 그 기다림의 값어치를 다할 순간이 올 것입니다.
세상에서 가장 높은 대나무로 쑥쑥 커갈 시간이 올 것입니다.
자유로운 기체가 되어 세상을 내려다볼 시기가 올 것입니다.

리셋!
내 인생

한창 글을 쓰고 있는데 컴퓨터가 갑자기 먹통이 되었다. 이것저것 눌러봐도 아무 반응이 없다. 프로그램들이 뒤엉켜버린 게 분명하다. 순간 황망해하다가, "에잇" 하면서 리셋reset 버튼을 누른다. 컴퓨터를 다시 시작하지 않고는 다른 방도가 없는 것이다. 컴퓨터는 잠시 망설이다가 "정말?" 하고 묻는다. "지금까지 작업한 내용을 다 잃어버릴 수도 있다"고 경고한다.

하지만 어쩌랴. 작업하던 원고가 저장되지 않은 채로 남아 있어 아깝기는 하지만, 기억을 더듬어 새로 쓰기로 마음먹고 "예" 버튼을 누른다. 그제야 컴퓨터는 프로그램들을 하나씩 종료하고 종국에는 스스로를 죽인다. 그러고는 삑! 하는 소리와 함께 다시 살아나, 언제 그랬느냐는 듯 새로 시작할 준비를 마치고 나를 기다린다.

날아간 자료가 아까워 혹시 저장된 게 있는지 여기저기 찾아보지만, 작업을 새로 시작하는 편이 빠를 것 같다. 작업을 원점에서 다시 시작한다. 조금 짜증나기는 하지만 생각보다 힘들진 않다. 아까 썼던 표현보다 더 마음에 드는 표현이라도 나오면 오히려 잘됐다는 생각도 조금 한다……

컴퓨터 작업뿐만 아니라 삶의 여러 고비에서도 그렇다. 인생에도 리셋 버튼이 있어서 컴퓨터처럼 껐다가 다시 시작했으면 좋겠다는 충동을 느낀다. 이 복잡한 문제들을 하나씩 종료시키고, 다시금 새로운 상태로 출발할 수 있다면 얼마나 좋을까. 물론 사람은 컴퓨터가 아니니 죽었다가 살아날 수는 없지만, 마음은 그렇게 할수도 있겠다 싶다. 다만 조건이 있다. "지금까지 작업한 내용을 다잃어버릴 수도 있다"는 경고에 "예"라는 버튼을 눌러야 한다.

지금까지 쌓아온 내 인생의 어쭙잖은 기득권들을 전부 다 내려놓을 수 있다는 스스로의 결의가 따라준다면, 우리 인생은 리셋이 가능하다.

동생이 관악구 당곡사거리에 작은 고깃집을 개업했다. 개업식 화분을 사들고 가게를 찾아갈 때, 적잖이 마음이 떨렸다. 직장을 그만둔 후, 오랜 마음고생 끝에 다시 시작하는 사업이었기 때문이다.

사실 식당 창업이 오랜 꿈이어서 퇴사한 것은 아니었다. 다니던 회사가 건실하기는 했지만, 인생 전체를 길게 보고 설계하자면 조금이라도 역량이 있을 때 자기 사업을 시작해야겠다는 각오를 다졌다고 한다. 사표를 던질 때, 나도 조금 싫은 소리를 했던 기억이 난다. 그러니 제수씨는 훨씬 더 세게 반대했으리라. 아니나 다를까, 첫 사업의 성과가 좋지 않았다. 1년을 못 가서 문을 닫았다. 이사 관련 업종이었는데 부동산 경기가 얼어붙으면서 시장이 죽어버렸던 것이다. 기존의 네트워크를 활용하면 충분히 승산이 있다는 막연한 희망이 산산이 부서졌다.

이후 아우는 바닥으로 내려가 독하게 준비를 시작했다. 1년이 넘는 기간을 수입 없이 견디며 다양한 아이템을 검토한 끝에, 식당 창업에 도전하기로 마음먹었다. 불경기와 조기은퇴의 여파로 식당을 여는 사람들이 날로 늘어나고, 개업한 음식점 열 곳 중 여덟 곳이 6개월 안에 문을 닫는다는 혹독한 통계가 나오는 현실에서, 신규창업자의 마지노선이라는 식당을 아무 경험 없이 시작하려니 두

렵기도 했을 것이다. 한때는 물도 잘 넘어가지 않았다고 한다. 나도 가까이에서 지켜보며 많이 걱정했다. 이 과정에서의 불안과 흔들림은 겪어보지 않은 사람은 짐작하기 어렵다.

하지만 이제 동생의 가게에 가보면 빈자리가 없을 때도 있다. 조그만 보조의자에 앉아 배고픔을 참으며 기다리지만 대기시간이 길면 길수록 그렇게 좋을 수가 없다. 행복한 기다림이다.

동생이 처음 하는 식당 사업에서 좋은 성적을 낸 비결은 무엇일까. '완전한 리셋'에 성공했기 때문이다. 이번엔 인맥이나 경력 등 자신이 손에 쥐고 있던 그 무엇에도 기대지 않고 기대하지도 않았다. 필요한 모든 사항을 남에게 맡기지 않고 오래 공부하고 많이 준비했다. 주위의 달콤한 성공사례나 빠르게 바뀌는 트렌드에 휘둘리지 않고 쉼 없이 발품 팔며 차분하게 입지를 골랐다. 프랜차이즈별 장점과 단점을 꼼꼼하게 비교해서 마음의 대차대조표를 만들었다. 오랜 준비 끝의 실행은 단호하고 신속했다.

그의 성공은 '내가 왕년에 잘나갔다'는 환상에 빠지지 않고 철저하게 신규 구직자의 자세로 돌아갔기에 가능했다고 생각한다. 그가 '언제라도 바닥으로 내려갈 수 있다'는 초심을 잃지 않고 도전을 계속하는 한, 앞으로도 좋은 성과를 낼 것이라고 기대한다.

많은 직장인들이 퇴사 이후 퇴직금으로 적당한 아이템을 잡아

유행하는 프랜차이즈 가게를 차려 자리잡으면 노후는 어느 정도 해결할 수 있지 않겠느냐는 환상을 품는다. 이런 막연한 환상이 위기의 원인이 된다.

치열한 고민과 준비 없이 어찌 성장할 수 있으랴.

∾

오일러라는 수학자가 있다. 수학 교과서에 나오는 '오일러의 정리'를 남긴 바로 그 위대한 학자다. 그는 서른도 되지 않은 나이에 심한 열병을 앓아 오른쪽 눈의 시력을 잃었다. 나이가 들면서 나머지 왼쪽 눈도 백내장으로 시력이 떨어져, 결국 앞을 전혀 보지 못하게 되었다. 하지만 실명한 이후에도 그는 왕성한 활동으로 많은 업적을 이루어냈다. 어떻게 이런 일이 가능했을까?

오일러는 나머지 눈의 시력마저 잃을 것이라는 통보를 받은 후, 두 눈을 감고 생활하기 시작했다. 실명한 이후의 삶을 미리 연습한 것이다. 결국 그는 시력을 완전히 잃은 후에도 일상생활에 큰 지장을 받지 않고 계속 훌륭한 연구결과를 발표할 수 있었다.

누구나 미래를 대비할 수는 있다. 그러나 현재를 포기하기는 어렵다. 자신의 장애를 받아들여 준비하고 극복하는 자세만으로도 충분히 존경스러운데, 남아 있는 시력을 스스로 포기해버린 그 용기가 놀랍다. 나 같았으면 아직 시력이 남아 있는 동안에 뭐라도 더 해보겠다고 안간힘을 썼을 것이다.

우리는 인생을 새로 시작해보고 싶다고 하면서도, 실제로는 그러지 못한다. 손에 쥔 것들을 놓지 못하기 때문이다. '지금까지 작업한 내용을 모두 잃는다'는 두려움에 리셋 버튼을 누르지 못하는 것이다. 더구나 삶의 리셋 버튼을 누르는 것은 차원이 다른 문제다.

"내가 이만큼 이루기까지 얼마나 노력했는데⋯⋯"
"이 나이에 다시 시작한다고 무엇을 바꿀 수 있을까?"
"처음부터 시작해 다시 여기까지 오자면 얼마나 더 고생해야 할지 모르는데⋯⋯"

하지만 지금까지의 작업을 잃어도 좋다는 승인에 동의하지 않으면, 컴퓨터는 절대로 다시 시작하지 않는다. 인생도 그렇다. 포기는 두려움을 없애주지만, 희망도 함께 지운다.

기득권이라는 것, 실은 알량하다. 한번 손에 쥐면 잃을까 두려워 전전긍긍하게 되지만 더 큰 포부가 있는 사람들은 놓아야만 한다. 숨을 크게 쉬고, 다 놓아버리고, 그리고 다시 시작하면 생각보다 훨씬 빠른 시간 안에 다시 찾을 수 있다. 어쩌면 더 크게 돌아올 수도 있다. 지금까지의 경험에 아무도 못 말릴 열망이 더해진다면.

지금 당신에게 필요한 것은 오직 한 가지, 용기다.

❧

스물여덟 살에 아이와 단둘이 남은 이혼녀가 있었다. 정부에서 빈곤층 생활보조금을 받으며 근근이 살아갔다. 그런데 이 여인이 어느 날 작가가 되겠다며 유모차를 밀고 동네 카페에 나가 글을 쓰기 시작했다. 꿈은 가상하지만, 원고를 다 쓰고도 복사비가 없어서 8만 단어나 되는 글을 일일이 처음부터 다시 타자기로 입력해야 할 정도로 현실은 비참했다. 주위에 이렇게 막무가내인 사람이 있다면 계속 열심히 해보라고 격려해줄 수 있을까? 일단 최소한의 생활비라도 벌면서 생활을 먼저 수습하라고 충고하게 되지 않을까?

그러나 바로 이 여인이 훗날 『해리 포터』 시리즈로 영국 여왕보다 더 큰 부자가 된 조앤 롤링이다. 하버드대 졸업식 축사에서 그녀는 이렇게 말했다.

"실패는 삶에서 불필요한 것들을 제거해준다. 나는 내게 가장 중요한 작업을 마치는 데에 온 힘을 쏟아부었다. 그런 견고한 바탕

위에서 나는 인생을 재건하기 시작했다. 스스로를 기만하는 일을 그만두고 정말 중요한 일을 시작하라."

하루 종일 몸을 움직이면 1미터를 갈 수 있는 애벌레가 죽기 전에 10킬로미터를 이동하려면 어떻게 해야 할까? 더 열심히 몸을 꿈틀거려야 할까? 아니다. 리셋해야 한다. 나비로 변해 훨훨 날아가야 한다.

가난하고 비참했던 조앤 롤링은 자신의 처지에 매몰되지 않고, 어느 날 마법사의 빗자루를 타고 다른 세상으로 날아올랐다. 불필요한 껍질을 모두 벗어버리고 진정한 변신을 위해 집중했다.

연연하는 것을 놓아버리면, 삶은 가슴 벅찬 도전이 된다.
삶을 리셋하고 싶은가? 아직 늦지 않았다.

놓아라.
준비하라.
그리고 시작하라.

우리는
어른일까

허전하여 경망스러워진 청춘을
일회용 용기에 남은 짜장면처럼
대문 바깥에 내다놓고 돌아서니
행복해서 눈물이 쏟아진다 행복하여

김소연, 「행복하여」

한 제자가 오랜만에 찾아왔다. 내가 새내기 교수일 때 석사논
문 지도학생이었던 친구다. 졸업하고 잠시 직장생활을 하다가 결
혼 후 미국으로 떠난 지도 벌써 10년이 넘었다. 10년이라니! 연구
실에서 졸업사진을 찍은 게 불과 몇 달 전처럼 느껴지고, 미국에서
안부편지를 보내왔을 때에도 바로 가까이에 있는 것 같았는데. 아
프지 말라고 아직도 위로해줘야 할 청춘인 것 같은 그 아이가, 어
느덧 직장을 갖고 가정을 꾸린 어른의 모습으로 돌아왔다.

그 친구 덕에 당시 재학생들이 모처럼 다시 모여 식사를 했다.
처음엔 잠시 어색하더니 모두 옛날로 돌아간 듯 정겹다. 다들 그때

그대로다. 그들도 이제 마흔이 가까워오지만 내게는 아직도 어린 학생으로 보인다. 한참 옛 얘기를 나누다가 한 친구가 말했다.

"이제 저희가 그 당시 선생님보다 더 나이 들었네요. 저희에게 선생님은 한참 더 어른인 것 같았는데…… 선생님도 그때 참 젊으셨구나 싶어요. 죄송한 말씀이지만 이제 저희도 늙어가나봐요."

실은 이 말에 나는 속으로 흠칫 놀랐다. 이 친구들도 결국 내 비밀을 알아챘겠구나, 싶어서.

'그렇구나. 그때 내가 갓 교수 되고 득의양양 선생인 척했지만, 저렇게 어렸었구나. 이제는 저들도 알겠구나, 그 당시 자신이 믿고 따랐던 지도교수도 형편없이 미숙한 30대 어른아이였다는 것을.'

모임이 끝나고도 치부를 들킨 듯, 부끄러운 질문 하나가 머리를 떠나지 않았다.

'그때 나는 정말 어른이었을까? 아니 15년이 지난 지금은, 나는 어른일까?'

나도 이 친구들과 비슷한 기분을 느낀 적이 있다. 결혼하고 큰 아이가 태어난 뒤, 내가 어느덧 아버지가 나를 낳았을 때의 나이가 됐다는 사실을 깨달은 순간이었다. 어릴 때 내가 본 아버지와 어른의 세계는 '나의 미래'라기보다는 그저 막연한 '남의 나라'일 뿐이었다. 나와는 전혀 다른, 고민도 감정도 없고 그냥 기계처럼 안정적인 시스템에 맞춰 움직이는, 그래서 어쩌면 더 성숙한 어른들의 세계 말이다. '아빠는 당연히 그런 존재, 어른은 당연히 저런 것'이라는 전제 이외에 달리 생각해볼 엄두도 내지 못했다.

그런데 내가 그때의 아버지 나이가 되어 직장을 갖고 자식을 낳고 나니 비로소 알겠다. 어른도 여전히 흔들린다는 것을. 청춘 시절과 다를 바 없이 크고 작은 고민이 많고 감정이 출렁이는 미성숙한 유기적 존재라는 것을. 이후 더 나이 든 후에 다시 깨달았다. 케이크에 초를 아무리 많이 꽂게 되더라도, 지금 이 상태에서 더이상 극적으로 철들지는 않는다는 것을. 인간은 나이가 든다고 거저 원숙해지는 것은 아니라는 것을.

이것이 자식이나 제자에게 함부로 털어놓을 수 없는 어른들의 비밀이다.

시간은 우리를 저절로 어른으로 만들어주지 않는다. 스스로 성찰하며 성숙해가지 않는 한.

〰️

"서른, 잔치는 끝났다."[1]
한 시인은 화려한 20대의 마지막 길목에 그렇게 냉소적인 조사弔辭

를 던졌다. 사욕보다는 사회 정의와 같은 대의를 위해 삶을 바치겠노라 호언장담하던 대학 시절을 지나, 사회에 발을 내딛기 시작하면서 세속적인 소시민의 삶을 은근슬쩍 선택해 살아갈 수밖에 없는 모습을 서글프게 노래했다.

서른 이후, 힘든 시기다. '잔치는 끝났으니, 이제 너희 각오들 하라'는 시인의 결기가 허언이 아니라고 느껴질 만큼 녹록지 않다. 책방에 가보면 '30대' 혹은 '서른'으로 시작하는 책이 단연 많은데, 인생의 다른 어떤 10년보다 힘겹고 고단한 시기라는 증거일 게다.

왜일까? 스무 살 청춘의 아픔조차 '잔치'로 보이게 할 만큼, 무엇이 그렇게 힘든 것일까? 학교에서 만나는 20대 젊은이들은 나이 드는 것은 반갑지 않지만, 그래도 빨리 서른이 되고 싶다고 말한다. 직장도 갖고 결혼도 하게 될 테니, 어느 정도 인생의 안정을 이룰 수 있지 않겠느냐고 기대한다. 사실 삶의 객관적 여건으로 보면 30대가 20대보다 더 나을지도 모른다. 그럼에도 왜 그 아프다는 20대를 '조~홀 때'로 보이게 할 만큼, 서른 살은, 그리고 그 후의 삶은 버거운 걸까?

어른이 되어야 하기 때문이다.

적어도 나는 그랬다. 나의 30대는 분명 인생에서 가장 힘든 시기였다. 누군가 나의 젊음을 돌려준다면 마다할 리 없겠지만, 30대로 돌아가야 한다면 극구 사양하고 싶다. 갓 결혼해서 생활인으로 다시 태어나야 했던 시기, 엄청난 지출 앞에서 경제적으로 가장 곤궁했던 시기, 아무 대비 없이 덜컥 낳은 두 아이를 건사하느라고 허덕이던 시기……

직장을 얻지 못해 바닥 모를 불안에 떨던 서른 줄의 전반부와, 꿈에도 그리던 취직을 했음에도 조직의 막내로서 자리잡지 못하고 이리저리 뛰어다니던 후반부, 두 시기 모두 어찌나 힘겹고 버거웠는지! 지금 생각하면 그건 나이 서른의 업보라기보다는 내가 막 '어른'이 되었기 때문이었다. 뭐든 처음은 어렵다. 사회생활도 결혼생활도 전부 처음 해보는 경험이었다. 어른 노릇도 처음이었으니, 당연히 어려울 수밖에 없다. 그런데 그때는 몰랐다. 그냥 왜 이런가, 삶이, 세상이 내게 왜 이러나 싶었다.

우리는 언제 어른이 될까? 법률적 성년인 만 20세가 됐을 때? 대학교를 졸업할 때? 직장에 들어갈 때? 부모님으로부터 독립할 때? 결혼할 때? 자녀를 가졌을 때?

물론 법적으로 스무 살이면 어른이다. 미성년 딱지를 떼고 각종 법률행위를 독자적으로 할 수 있고, 술이나 담배 같은 금기도 풀린다. 하지만 인생에서 어른이 된다는 것은 전혀 다른 문제다. 자기 자신과 가족의 삶을 책임지는 것이 어른이다. 경제적 수입이나 심리적 안정 면에서는 나아질지 모르지만, 인생의 책임이 확연하게 육중해지면서 "아, 이제 잔치는 끝났구나" 하고 되뇌게 되는 것이다.

이 책을 쓰는 동안, 여러 학생과 젊은 직장인 들에게 "당신은 어른입니까?"라는 질문을 던졌다. 대부분 "나는 아직 아닌 것 같다"고 답했다. 그러면 언제 어른이 된다고 생각하느냐고 되물으면 그건 잘 모르겠지만 아무튼 자신은 아직 어른이 아닌 것 같다고 말한다. 고백하자면 이 글을 쓰는 나조차도 종종 '나는 충분히 어른일까?'라는 의문을 품는다.

도대체 우리는 언제 어른이 되는 걸까? 우리는 지금 어른일까?
혹시 어른이란 연령, 혼인, 선거권, 소득, 세금 같은 어떤 조건을 갖췄을 때 도달하는 '상태'가 아니라, 흔들리면서도 스스로를 돌아볼 수 있는 존재로 성숙해가는 '과정'에 가깝지 않을까?

공자는 나이 서른이면 이립而立하여 "마음이 확고하게 도덕 위에 서서 움직이지 않으며", 마흔이면 불혹不惑하여 "세상일에 정신을 빼앗겨 판단을 흐리는 일이 없다"[2]고 했다. 중학교 국어시간에 어려운 한자어를 외우며, 그 나이가 되면 당연히 그렇게 될 것이라는 가정도 함께 외웠던 모양이다. 그래서 제야의 종소리를 들을 때마다 왜 제대로 된 도덕 하나를 갖추지 못하고, 왜 이다지도 형편없이 판단이 흔들리는지, 반성하고 또 자책했다. 그런데 이제 쉰 살이 다 되어서야 깨닫게 된 것이다. 그 흔들림이 실은 당연하다는 것을. 그 흔들림을 넘어선 공자님이 그래서 위대한 분이었다는 것을.

어릴 때 끔찍하게 싫었던 음식이 좋아지거나, 절대 하지 않을 것 같았던 일들을 천연덕스럽게 하면서, 내가 알지 못하던 나 자신의 모습에 깜짝깜짝 놀란다. '아, 내 안에 아직도 열지 않은 서랍이 많구나' 싶다. 어른이 된다는 것은 조심스럽게 자기 내면의 서랍을 열고 그 안에 무엇이 담겨 있는지 확인하고, 또 그 안에 새로운 것을 담아가는 과정임을 깨닫는다.

그러므로 "이제 다 왔다"고 말하면 안 된다. 대신 "조금 더 가보자"라고 말해야 한다. "이제 와서……"라고 유보하면 안 된다. 대신 "지금이니까"라고 격려해야 한다. "영원히 살 것처럼 공부하라"고 마하트마 간디가 말했다. 흔들리면서도 자기를 돌아보며 어제보다 한 뼘 더 성숙해가는 그 한 걸음 한 걸음이 바로 어른이었던 것이다. 생애를 마치며 스스로 온전히 어른이라고 긍정할 수 있다면, 그것이 바로 성공한 인생이리라.

흔들리지 않는 것이 어른이 아니라, 천 번을 흔들려야 겨우 어른이 된다. '아프니까 청춘'이라고? 그렇다면 '흔들려서 어른'이다. 그래, 조금 흔들려도 괜찮다. 나와 당신의 흔들림은 지극히 당연한 '어른 되기'의 여정이기에.

흔들리지 않는 것이 어른이 아니라,
천 번을 흔들려야 어른이 된다.

그래, 조금 흔들려도 괜찮다.
나와 당신의 흔들림은
지극히 당연한 '어른 되기'의 여정이기에.

아모르파티
네 운명을 사랑하라

네 생애에서 가장 빛나는 날은 성공한 날이 아니라
비탄과 절망 속에서 생과 한번
부딪쳐보겠다는 느낌이 솟아오른 때다.
플로베르

뜨거운 햇볕 아래 발밑에 진하게 붙어 있는 그림자를 볼 때, 이런 생각을 한다. 사람에게는 이 그림자만큼이나 떼어내기 힘든 운명 같은 굴레가 있다고. 내게만 있는 줄 알지만 누구에게나 하나씩은 존재하는 굴레가 있다고.

집안 식구들끼리도 쉽게 입에 담지 못하는 뒤틀린 가족사를 감추고 아무렇지 않은 듯 살아야 하는 삶이 생각보다 많다. 서로를 보듬어야 할 사람들이 증오로 서로를 할퀴고 그 사이에서 아무것도 할 수 없는 비겁한 자신을 견디기 힘들 때도 있다. 절실하게 사랑하는 사람이 황망하게 떠나버리거나, 혹은 치유할 수 없는 질병을 앓고 있을 때의 무력함처럼 지탱하기 어려운 짐도 있다. 경험하지 못한 사람은 쉽게 이해하지 못한다, 그 운명의 굴레를.

내가 스물다섯이 되었을 때, 오랫동안 숨겨온 가족의 아픔을 알게 되었다. 물론 내 잘못은 아니다. 누구의 잘못도 아니다. 어쩌다보니 생겨났고, 또 어쩌다보니 상황이 그렇게 되어버린 것이다. 집안의 어른들이 잇달아 돌아가시고 나 혼자 그걸 해결해야만 했을 때, 나는 하늘에 물었다.

"내가 뭘 잘못해서 이렇게 고통받아야 하는 건데? 도대체 나한테 왜 이러는 건데?"

그렇게 혼자 힘들어하다가, 우연히 이런 말을 만났다.

"남의 탓이라고 생각하면 우산 위의 눈도 무겁고, 내 몫이라고 생각하면 등짐으로 짊어진 무쇠도 가볍다."

그랬다. 누구의 문제도 아니었던 것이다. 바로 내 문제였다, 어쨌거나 내가 해결하고 내가 안고 가야 할…… 그 사실을 인정하고 나니 한층 마음이 편해졌다. 어떻게 생겼거나 결국은 '내 운명'이라는 걸 깨닫게 된 것이다.

나는 그날 문득 어른이 되었다. 자기 삶의 짐을 가장 정확한 무게로 받아내게 될 때 우리는 어른이 되는 것이다. 애써 모르는 척하며 다른 일에 몰두하기에는 너무 나이 들고, 인생이란 원래 그런 것이라고 헛헛하게 웃으며 넘겨버리기에는 너무 젊은, 바로 그 시점에 말이다.

⌇

토크 콘서트나 강연을 하고 나면 청중의 질문을 받는 시간이 있다. 그때마다 빠짐없이 나오는 질문이 "선생님은 시련을 어떻게 극복하셨습니까?"이다. 아마도 질문자 역시 견디기 힘든 시련을 견디고 있는 것이리라. 이런 질문은 가능한 한 답변을 피한다. 하지만 어쩔 수 없이 꼭 대답해야 하는 상황이 생길 때면 할 수 없이 이렇게 말한다.

"제 경우에는 극복하지 못했습니다. 그냥 지나갈 때까지 견디는 거지요." 그리고 약간의 부연 설명. "저는 뭔가를 극복할 만큼 강한 사람이 못 돼요. 그래도 한 가지 말씀드릴 수 있는 것은 다만 좌절하지는 않았다는 것입니다. 그러니까 견디면 됩니다. 결국 다 지나갑니다. 아픔도, 기쁨도."

이렇게 말하면 분위기가 다소 썰렁해지면서 사회자도, 청중도 실망하는 기색이 역력하다. 강사라면 뭔가 답을 줘야 하는 것 아닌가, 하는 표정이다. 사람들은 언제나 답을 기다린다. 지푸라기라도 부여잡는 심정으로 아픔의 시간이 지나가도록 견딜 수 있게 해줄 작은 한마디라도 있길 바란다. 나는 겨우 힘을 내어 대답한다.

아모르파티Amor Fati.
네 운명을 사랑하라.

이런 일이 있었다.

2012년 여전히 매서운 추위가 기승을 부리던 2월 어느 날, 라디오 방송국에서 연락이 왔다. '멘토 특집'이라는 것을 하기로 했는데, 나보고 청취자의 고민 사연에 조언을 해달라는 것이었다. 방송 출연은 일절 사양하고 있던 시기라서 나름 매몰차게 거절했다. 그랬더니 꼭 해줬으면 좋겠다고 다시 부탁하는데 프로그램이 〈유인나의 볼륨을 높여요〉란다. '볼륨……' 1996년이던가, 취직이 안 되어 무척 상심해 있을 때 친구가 되어주었던 프로그램이다. 그때는 이본씨가 진행을 했었다. '유디'(유인나씨의 별칭)가 진행하는 요즘에도 늦게 퇴근할 때는 차 안에서 자주 듣는다. 애청자의 의무이겠다는 생각이 들어, 마음을 바꿔 하게 됐다. 그날의 방송 내용을 가감 없이 옮겨 적는다.[3]

:: 유인나

마지막 사연, 길구요, 어렵구요…… 가슴 아픕니다. 꺼내기에 힘든 문제이기도 하지만, 또 어떤 얘길 건네기에도 쉽지 않았어요. 그런데 오늘 첫번째 멘토로서 많은 얘기 해주셨던 김난도 교수님께서 이분께 꼭 응원의 메시지를 전하고 싶다고 하셨습니다. 일단, 만나볼게요. 익명, 요청하셨습니다.

:: 사연

제 고민을 털어놓을 수 있단 사실만으로도, 조금은 위로가 되는 기분입니다. 이런 얘기, 제겐 너무나 무거운 짐이라 펼쳐놓기에도 버거웠거든요. 가족들에게도, 저 개인에게도, 희망이 전혀 보이질 않아서 말이죠.

음, 어디서부터 시작해야 할까요? 저희 집이 어려워진 건, 제가 고등학교 2학년 때였어요. 어머니께서 유방암 말기 판정을 받으셨습니다. 수술비며 치료비에 저희가 가진 모든 돈을 쏟아부었죠. 수술을 해도 산다는 보장이 없었는데요. 어머니는 고맙게도 이겨내주셨습니다. 그때 이미 재정적으로 힘들어졌지만 저흰 감사히 생각을 했습니다. 어머니의 병세가 나아졌다는 사실만으로도 말이죠. 그런데 한번 기울기 시작한 형편은 점점 더 무너져갔습니다. 빚은 늘어만 가고, 갚을 능력은 되질 않고…… 결국 아버지는 파산 신청을 하셨습니다. 어머니가 수술을 받으신 지 6개월도 안 됐을 때의 일이에요.

저흰 네 가족이 살 만한 집도 구할 수가 없어 조그마한 차에서 넉 달 이상을 지내야 했습니다. 하지만 그때만 해도 희망을 잃지 않았죠. 아버지와 저, 그리고 형까지 세 남자가 힘을 합쳐 돈을 벌었습니다. 공사판부터 전단지 아르바이트까지 닥치는 대로 일을 해서 돈을 모았고, 방 한 칸짜리 월세방을 구할 수 있었습니다.

기뻤어요…… 누구 하나 아프지 않고 이대로만 살아간다면. 남들처럼 풍족하진 못하더라도 행복하게 지낼 수 있을 거라 믿었습니다. 그러다 형과 제가 군대를 가게 되었어요. 아버지와 어머니만 계시단 게 불안하긴 했지만 몇 달 되지도 않아 일이 또 터질 줄은, 그렇게까지 될 줄은 몰랐습니다.

어머니의 암이 재발했어요. 아버지 혼자선 간호만 하기에도 벅찬데, 병원비를 감당하실 수는 더더욱 없었겠죠. 결국은 형편이 더 어려워져 하루하루 방값 벌고 그 돈 내면 남는 게 없는 그런 생활을 두 분이 하셔야 했습니다. 차라리 옆에서 지켜볼 수 있었다면 마음이 그렇게 아프진 않았을 텐데요. 몇 년간의 고생보다 부모님과 떨어져 있던 그때, 제가 제일 힘들었던 것 같습니다. 제대만 하면 제가 어떻게든 두 분을 보살피고 싶었는데요. 문제는 계속해서 일어났어요.

형…… 형이 어느 순간부터 이상해졌어요. 친구들에게 사기를 치고, 돈을 빌려 도망을 다니고 술을 먹고 집에 와서 행패를 부리고 어머니의 치료비에까지 손을 대는 겁니다. 저와는 말도 하질 않아 이유는 모르겠지만, 짐작건대 어떻게든 돈을 벌어 뭐라도 해보려다 그게 잘 안 되니까 비뚤어진 것 같습니다. 저는 급한 대로 날염공장에서 아르바이트를 시작했습니다. 형이 빌린 돈들을 갚고 어머니의 병원비를 댔죠.

아버지요? 아버지는…… 아버지도 어느 순간 포기란 걸 하신 것 같아요. 집에만 들어오면 어머니와 다투시고 어디서 무얼 하시는지 저는 도통 알 수가 없습니다.

네…… 여기까지만 해도 너무 힘이 듭니다. 갑자기 어려워진 집안 사정으로 저는 대학에도 갈 수가 없었고 제대로 된 직장생활조차 할 수가 없습니다.

제가 하루라도 돈을 벌지 않으면, 하루라도 일당을 받아오지 않으면, 생활 자체가 불가능하니까요. 얼마 전 저까지 몸이 안 좋아졌어요. 자꾸 이런 얘기만 하게 되어 우울한데, 말로만 들어도 우울한 그 일들이 제 인생엔 끊이질 않고 벌어졌습니다.

허리디스크 판정. 통증보다 무서운 건 저의 미래입니다. 몸까지 이렇게 망가지고 말았으니 제가 어떤 꿈이란 걸 꿀 수 있을까요? 어떻게든 되는대로 노력을 하다보면, 저희 가족이 예전처럼 화목하게 돌아갈 수 있을까요? 아버지와 형이 다시 마음을 잡을 수 있을까요? 어머니를 마음 편히 간호할 수 있을까요? 이렇게 말도 안 되는…… 정말 한 사람이, 한 가족이 겪기에 너무도 벅찬 불행들 속에도 희망이란 씨앗이 싹틀 수 있는 걸까요? 제가 할 수 있는 일이…… 있긴 한 걸까요? 너무 힘들어 이젠 정말 다 포기해버리고 싶은 마음만 가득한데요.

버티고 싶습니다.
버티고 싶습니다.
버티고 싶습니다……
그게…… 가능할까요?

녹음기에 불이 들어왔는데도 나는 한동안 말을 잇지 못했다. 늦겨울의 혹심한 추위보다 더한 한기가 혀를 얼려버린 것 같았다. "버티고 싶습니다, 버티고 싶습니다, 버티고 싶습니다……" 그 말이 한 번씩 천천히 반복될 때, 내 눈에서 굵은 눈물이 한 방울씩 천천히 떨어졌다. 거친 호흡을 삼키느라 입을 뗄 수 없었다.

"신은 누군가가 감당할 수 있을 만큼만의 시련을 준다"는 말이 있던데, 이 아이의 신은 왜 그리도 모질까, 고난은 장마철 집중호우처럼 왜 저렇게 한꺼번에 쏟아지는 것일까, 누군가의 사정이 이렇게 될 때까지 이 사회는 도대체 무엇을 하며 방관하고 있었을까, 원망을 삭이느라고 대답할 수가 없었다.

녹음이었으니 망정이지 생방송이었으면 방송사고를 낼 뻔했다. 여간해서는 NG를 내지 않는 편인데, 그날은 유난히도 자주 녹음기가 멈췄다. 마음이 조금 안정되고 나서도 머리는 여전히 혼란스러웠다. 이 친구의 어깨 위에 내려앉은 운명의 찌든 때, 그 더께를 어떻게 조금이나마 닦아줄 수 있을 것인가, 난감했다.

그러고는 한참을 머뭇거리다가 겨우 꺼낸 말이 있었다. 조국 교수가 자주 인용한다는 한마디. 니체의 책에서 읽었던 한마디. 어느 여학생이 "교수님, 꼭 봐주세요. 두 사람의 목숨이 달려 있어요"라며 가난과 고독과 가족의 붕괴에 대한 절박한 호소를 이메일로 보내왔을 때, 내가 가까스로 생각해냈던 그 한마디.

아모르파티.
네 운명을 사랑하라.

:: 김난도

이런 사연을 들으면, 정말 안타깝기 그지없습니다. 왜 우리 세상은 이래야만 하는가…… 새삼 생각이 많이 들고요.

하지만 그냥 힘내라는 위로의 말에 더해서 이 말씀을 꼭 들려드리고 싶습니다.

라틴어인데요. 아모르파티라는 말입니다. 네 운명을 사랑하라, 는 뜻입니다.

일전에 그런 편지를 받은 적이 있어요. 오늘 사연을 보내주신 분만큼이나 참 힘든 사연이었습니다. 너무 절박해서 제가 여성가족부하고 그분 사시는 지방자치단체에 긴급히 원조를 요청할 만큼 굉장히 힘든 경우였습니다.

그리고 제가 개인적으로 이 아모르파티라는 말을 적어서 보내줬어요. 한 달쯤 지나서 그분한테 답장이 왔습니다. 처음엔 '네 운명을 사랑하라'는 말을 들었을 때, 정말로 원망스러웠답니다. 어떻게 내 이런 힘든 운명을 사랑할 수 있겠는가…… 교수님 너무 심한 말씀이신 거 아닌가, 그런 생각을 처음에 했었는데요. 시간이 지나면 지날수록 내 운명을 사랑하지 않고는 아무것도 해결할 수 없다는 것을 깨닫게 되었답니다.

아까 그 사연에 나오는 형님과 아버님의 경우도, 결국은 자기 운명을 사랑할 수 없게 되면서부터 그렇게 변해버리지 않았나 하는 생각이 듭니다.

곧, 봄이 옵니다. 지난겨울, 정말 춥고 눈도 많이 왔지요? 그렇게 추웠다고 해서 이번 봄에 새싹이 돋아나지 않진 않을 것입니다. 이 어려움 속에 당신의 씨앗이 계속 자라고 있음을 잊지 말고, 그 희망의 씨앗을 싹틔우십시오. 그러기 위해서 당신의 운명을 사랑하도록 노력해보십시오.

나는 다른 사람에게 여간해서는 '네 운명을 사랑하라'는 말을 하지 않는다. 잔인한 말이다. 어떤 몸부림으로도 떨어낼 수 없는 문신 같은 형벌로 남아 있는 그 운명을 사랑하라는 조언은, 제3자가 가볍게 해줄 수 있는 말이 아니다. 그래서 나는 그 원망을 각오한 후에야 간신히 이 말을 꺼낸다. '네 운명을 사랑하라'가 결코 역경을 숙명으로 받아들이고 체념하라는 게 아니라, 운명을 자신의 몫으로 인정한 후에야 비로소 버틸 힘도 생긴다는 뜻임을 알아주길 소망하며 말이다.

이후 몇 달이 흐르고 시간의 약손이 그 기억의 생채기를 얼추 지워냈을 무렵, 제자에게 문자를 받았다. 〈볼륨을 높여요〉에서 내 얘기를 들었다고 했다. 그즈음은 방송에 출연한 적이 없었기에 의아해서 '다시듣기'에 접속했는데, 반갑게도 그때 상담한 학생이 5개월 만에 자기 근황을 알려왔던 것이다.

:: 유인나

반가운 편지 한 통이 왔어요. 기억하시는 분들 계시죠. 저희 2월에 했던 멘토 특집. 그때 사연 소개되셨던 분이 있어요. 어려운 환경에 많은 볼륨 가족들이 함께 걱정하고 안타까워하셨구요. 그때 멘토 역할 해주셨던 김난도 교수님께서는 메시지 남기다가 눈물도 보이셨었잖아요. 그때 주인공이 요즘 어떻게 지내고 계시는지 다섯 달 만에 사연을 남겨주셨어요. 글만 봐도 분위기가 사뭇 다른데요.

:: 사연

안녕하세요? 저 그때 멘토 특집할 때, 사연으로 소개되었던 사람이에요. 저는 그때 사연을 올리면서 이런 생각을 했었어요. 조언, 해결법, 그런 게 있겠지. 하지만 그거 쉬운 거 아닐 텐데…… 도움이 될까? 그런 생각. 근데요. 그때 교수님께선 제 예상을 깨는 답변을 해주셨습니다. 해결법 같은 거, 없었어요. 그저 그게 내 인생이라고, 힘들고 어려워도 그게 내 인생이고, 내 가족이라고…… 그 생활을 사랑하라는 얘기를 해주셨습니다.

솔직히 당장 그 순간에는 언뜻 이해되지 않았어요. 이해되지 않았을 뿐 아니라 조금은 화도 났습니다. 아니 그럼 어떤 사람은 행복하게 살다가 죽고, 나는 그럼 계속 이렇게 불행하게 살라는 건가 싶어서요. 부정적으로만 생각하게 됐고, 방송 따위 믿은 게 잘못이지, 싶기도 했습니다. 그렇게 2주 정도를 술만 마시며 살았어요. 방송도 안 들었어요. 그러다, 못된 생각을 하게 됐습니다.

그만 살고 싶단, 그런 생각.

근데요. 내가 죽더라도…… 그래, 형이랑 아버지는 포기하더라도 어머니는 살리고 죽자, 라는 생각이 들더군요. 그래서 5월에 딴생각 없이 그 생각만으로 열심히 살았어요. 일도 하고 어머니는 꼭 살 수 있을 거란 생각만 가지고.

내 불행한 상황, 사건, 사람들, 생각할 겨를이 없었습니다. 술 안 마시구요. 난 그저 묵묵히 일하기 바빴고, 어머니를 돌보기 바빴어요. 그렇게 한 달쯤 지났나? 그 생활이 조금씩 건강하게 느껴졌습니다.

어쩔 수 없는 것을 계속 생각하지 않았어요. 내가 할 수 있는 것에 저도 모르게 집중하게 됐어요. 더 신기한 건요. 제 상황은 하나도 변하지 않았고, 아버지와 형은 지금도 절 힘들게 하고, 어머니의 상태 역시 기적같이 뭔가가 변하진 않았는데요. 사람들이 저를 보는 것이 달라졌다는 거예요. 긍정적인 사람, 밝은 사람, 꿋꿋한 사람. 그러면서 저에게 한마디씩 해주는데요. 너 괜찮다! 널 믿는다! 그런 말 요즘 부쩍 많이 들어요.

전 꼭 일어날 거예요. 그럴 수도 있겠다, 라는 생각이 들었어요. 어머니가 아직도 제 곁에 살아 계심에 감사하며, 제가 꿈꿔볼 수 있는 미래가 있음에 감사하며 앞으로도 열심히 살아가겠습니다.

몇 달간 제가 이해하지 못했던 말,

근데 어찌어찌 살아보니 조금씩 이해되는 말,

지금의 나를, 그리고 내 상황을, 받아들이고 사랑하라는 말……

알 것 같아요.

어쩜 제가 기대했던 이러이러하면 돈 벌 수 있다, 이러이러하면 가족들이 바뀐다, 라는 대답이 제게 주어졌다면 전 오히려 좌절했을지도 모르겠습니다. 오히려 인생을 받아들이는 법, 천천히 알게 해주셔서 고마워요.

김난도 교수님께도, 그리고 유디에게도.

나는 또 한번 뜨거워진 눈을 훔치며 속절없이 듣고만 있어야 했다. "방송 따위 믿은 게 잘못이지"라는 책망에 울컥했고, "못된 생각을 하게 됐습니다. 그만 살고 싶단, 그런 생각"에 내 눈물샘은 터져버렸다.

그리고 그 눈물을 닦아준 것은 꿋꿋한 한마디, "전 꼭 일어날 거예요".

비록 혹독한 상황은 변한 것이 하나 없더라도 그것을 받아들이고 다시 견뎌보기로 결심한 순간 자기 자신과 삶이 확연하게 바뀌더라는, 그 고백을 들을 때 온몸에 소름이 돋는 것을 느꼈다.

대견한 친구다. 그가 이 책을 읽게 될지는 알 수 없지만, 여기 작은 여백을 만들어 그에게 그날 못다 한 격려의 답신을 다시 전하고 싶다.

어떤 몸부림으로도 해결할 수 없는 독한 아픔, 실은 우리 모두 가지고 있습니다. 뜨거운 햇볕 아래, 발밑에 진하게 붙어 있는 그림자를 볼 때, 저는 그런 생각을 합니다. 빛이 밝으면 누구에게나 밟고 버텨야 하는 그림자가 생기는 법이라고요. 잔뜩 흐린 날에는 보이지 않지만, 오히려 인생의 빛줄기가 환희처럼 쏟아져내리는 밝은 대낮에 음영이 더욱 선명하게 도드라지는 것이라고요. 그 그림자, 필연이라고요.

그러므로 자기 운명을 받아들이십시오, 버텨내십시오, 친구하십시오. 물론 이런 혹독한 운명을 사랑한다는 것은 쉽지 않습니다. 하지만 이것은 삶과 죽음을 갈라놓을 만큼 중요한 문제입니다. 님이 그 앞에 가보았듯이 말이지요.

나는 님이 사랑하는 이들의 질병과 탈선, 끝이 보이지 않는 가난과 고독을 이겨내고 결국 자신의 삶을 멋지게 엮어낼 것이라고 믿습니다. 자기 운명을 '사랑하는' 법을 차츰 배워나가면서 말이지요. 그 거칠고 가파른 운명의 자갈길을 견뎌내다보면, 어느 순간 잘 다져진 행복의 오솔길에 다다랐음을 느끼게 될 것입니다.

힘을 내세요.

❧

2005년도였던가, 개인적으로 무척 힘든 시기가 있었다. 수면제와 각종 신경안정제를 하루에 한 번씩 조합을 바꾸어가며 먹어도,

잠은커녕 숨조차 편히 쉬기 어려울 만큼 스트레스에 시달렸다. 그 때 내 마음을 다스리기 위해서 운동선수들이 이미지 트레이닝하듯 계속 떠올리려 애썼던 것이 '호두'였다. 여린 알맹이가 딱딱한 껍데기에 싸여 있는 호두. 바스러질 것 같던 내 마음을 그 딱딱한 껍데기로 단단히 둘러싸서 마음을 잔뜩 웅크리고 견뎌내고자 했다. 그 끝날 것 같지 않던 시기를 버티는 데 호두의 이미지가 도움이 많이 됐다.

그 후로 주변에서 심한 스트레스에 시달리는 친구들을 보면 '호두'를 떠올리라고 조언하곤 한다.

이해인 수녀님의 「어떤 결심」[5]이라는 시에 이런 구절이 있다.

> 마음이 많이 아플 때
> 꼭 하루씩만 살기로 했다.
> 몸이 많이 아플 때
> 꼭 한순간씩만 살기로 했다.

그렇다. 육체적 통증이 격심할 때에도 그 한순간만 살아넘기고 나면 견딜 수 있다. 깊은 좌절이 그 바닥을 보여주지 않을 때에도, 마음을 호두 껍데기로 단단히 감싸고 꼭 하루씩만 살아가면 견딜 수 있다. 그렇게 하루하루를 살아내다보면 신기하게도 지나간 애기로 담담하게 말할 수 있는 시간이 오고야 마는 것이다.

우리에게 지워진 운명적 삶의 굴레는 어느 순간 극복하는 것이 아니라는 생각을 한다. 견뎌내는 것이다. 한순간씩, 하루씩 살아가고 버티다보면, 그 징그럽던 운명도 나의 일부로 동화되어 결국 내가 운명의 '동행자'로 서게 될 날도 오지 않을까. 운명의 굴레가 생명의 수레바퀴로 바뀔 수도 있는 것이다. 자기 운명에 대한 사랑만이 역경을 삶의 활기로 전환시킬 수 있는 에너지이다. 그토록 힘겨울지라도 내 삶은 소중하며, 나는 그 인생을 살아낼 유일한 사람이기 때문이다.

꼭 하루씩만 살아내자. 그러기 위해 반드시 외워야 할 주문이 있다. 독실한 신도가 몸을 접듯 간절하게 스스로를 위로하면서 되뇌어야 하는 주문이, 그러다보면 어느덧 자신과 그 숙명을 바꾸어줄 바로 그 주문이.

아모르파티.
네 운명을 사랑하라.

견디자. 다 지나간다.

우리에게 지워진 운명적 삶의 굴레는
어느 순간 극복하는 것이 아니다.
견뎌내는 것이다.
꼭 하루씩만 살아내자.
그러기 위해 반드시 외워야 할 주문이 있다.
독실한 신도가 몸을 접듯 간절하게 스스로를 위로하면서
되뇌어야 하는 주문이.

아모르파티.
네 운명을 사랑하라.

어른의 트릴레마,
혹은 힘겨운 저글링

✿

> 우리는 인생에서 가장 중요한 교차로들에
> 신호등이 없다는 사실에 익숙해져야 한다.
> **헤밍웨이**

직장인인 당신은 결혼해서 유치원생 딸을 하나 두고 있다. 오늘 저녁 다음과 같은 일정이 겹쳐 있다고 한다면, 어디로 가겠는가?

1 - 회사 일

외국에서 중요한 바이어가 방문해 실무책임자인 당신과 미팅을 갖고 싶어한다. 회사의 가장 큰 고객인데 내일 바로 출국해야 하기 때문에 꼭 오늘 저녁에 만나야 한단다. 이 업무는 당신이 총괄해왔기 때문에 미팅에 나갈 사람은 당신밖에 없다.

2 – 가족 일

딸의 첫번째 학예회가 오늘 저녁에 열린다. 유치원 연극에서 주연을 맡게 된 딸은 학예회 날짜가 잡히자마자 꼭 와야 한다고 새끼손가락을 내밀었고, 회사 일로 딸에게 자주 시간을 내주지 못한 당신은 반드시 참석하겠다고 몇 번이고 약속했다.

3 – 내 일

젊은 시절 당신의 우상이었던 록밴드의 내한공연이 하필 오늘 저녁이다. 나의 청춘은 그들과 함께 울고 웃었다 해도 과언이 아니다. 한동안 활동이 없다가 팀 해체를 앞두고 월드투어를 하기로 했고, 한국이 마지막 무대다. 당신은 진작 티켓을 예매했지만 콘서트가 오늘 저녁이란 사실은 깜빡한 상태였다.

오늘 저녁, 당신은 어느 곳으로 가겠는가?

지나치게 극단적인 설정이라고 할지 모르겠다. 하지만 제 앞가림만 잘하면 족하던 미혼의 청춘 시절과는 달리, 직장에 다니고 가정을 꾸려야 하는 어른에게는 이처럼 가혹한 선택이 강요될 때가 있다. 직장과 가정과 자아는 서로 사이가 별로 좋지 않다. 굳이 이름을 붙인다면, 3중딜레마(dilemma의 di-는 2중이라는 뜻이다), 즉 어른의 트릴레마^{tri-lemma}다.

직장·가정·자신에 대한 가치관은 각자 다를 테니, 실제로 이런 상황이 닥치면 선택의 결과는 저마다 다를 것이다. 그러나 추측해보건대 우리나라 사람들은 자기 자신보다는 가족을, 가족보다는 직장을 많이 선택할 것 같다. 특히 오랫동안 직장생활을 해온 사람들은 주저 없이 직장 일을 택할지도 모르겠다. 예전엔 일단 일이 우선이었으니까. 하지만 직장에서의 성공을 위해 모든 것을 포기할 수 있다는 식의 파우스트적인 거래는 나중에 필연적으로 공허를 남긴다. 반대로 가족애가 강한 사람이라면 일단 가족을 택하고 볼지도 모르겠다. 하지만 우리나라 같은 일중독 사회에서 무작정 '가족 최우선'만 외치다가는, 언제 직장에서 무능력자 소리를 들을지 모른다. 제 일을 선택한다면 여지없다. '자기밖에 모르는 이기주의자' 소리를 직장과 가정에서 동시에 듣게 될 것이다.

아마도 가장 선택받기 힘든 것은 콘서트일 것이다. 물론 솔직한 '욕망'의 순위로는 콘서트가 1위일지 모르지만, 이를 실행에 옮길 수 있는 사람은 의외로 많지 않을 것이다. 우리가 콘서트를 제일 먼저 포기하는 것은, 원망할 사람이 바로 자기 자신이기 때문이다. 직장 일이나 학예회를 포기하면 가족이나 직장상사에게 모질게 책망받지만, 콘서트의 경우는 자신의 마음만 비우면 깨끗이 끝난다. 사람들은 가장 선호하는 대안을 선택하기보다는, 가장 덜 비난받을 대안을 선택하는 경향이 있다.

이래저래 어느 경우든, 어른 노릇은 어렵고, '나'는 슬프다.

∾

중국 상하이의 초등학교 3학년 남학생이 주말에도 쉬지 않고 일하는 아버지에게 물었다. "아빠는 하루에 얼마 벌어요?" 아버지는 심드렁하게 "그건 알아서 뭐하게? 30위안밖에 못 번다" 하고 답했다.

그로부터 한 달이 지난 토요일 아침, 소년이 막 출근하려는 아버지를 막아섰다.

"잠깐만요! 오늘 하루만 제가 아빠를 고용하면 안 돼요?"

소년은 주머니에서 20위안 지폐 두 장을 꺼내더니 아버지의 손에 꼭 쥐여주었다. 이 40위안을 모으기 위해 소년은 한 달 치 학교 급식비를 내지 않고 매일 점심에 만두 두 개만 먹으며 버텼다. 소년은 30위안으로 아버지를 사고, 나머지 10위안으로는 공원 입장권과 아버지의 도시락 하나를 사려 했다.[6]

오래전 중국의 〈베이징 저널〉에 실렸던 이야기라는데, 가슴이 먹먹하다. 먹고살기 위해 주말을 반납하며 일해야 하는 아버지나,

그 아빠와 하루만이라도 공원에서 놀기 위해 '아빠를 사려던' 아들이나, 대한민국의 풍경과 크게 다르지 않은 것 같다. 아들이 꼬박한 달 동안 밥을 굶은 돈 40위안을 받아든 아비의 심정이 어떠했을까?

　중요한 것은 균형이 아닐까 싶다. 사실 스스로를 힘들게 하는 것은 이런 트릴레마의 상황이 아니라, 직장에 충성하고 가족에 충실하며 자신에게도 최선을 다하는 '멋진 어른'이 되어야 한다는 강박관념이다. 그 환상을 깨고, 나를 부르는 곳으로 달려가는 이타주의와 내가 원하는 곳으로 떠나는 이기주의 사이에서 적당히 줄타기할 수 있는 유연함을 길러가는 것이 어른의 통과의례가 아닐까?

　결국 인생이란 직장과 가정과 자아와 그 밖의 변수들로 행해지는 영원한 저글링juggling이다. 저글링에서 중요한 것은 다른 모든 공을 내팽개치고 어느 하나만 꽉 잡는 것도, 모든 공을 한번에 잡는 것도 아니다. 공을 제때 손에서 놓아가며 균형을 잡는 일이다. 그러기 위해 필요한 것은 관심의 분배다. 적절히 나누고 여유 있게 풀어주어야 한다.
　삶이 곡예다. 해야 할 일들의 돌려막기다. 그러니 이번에 공 하나를 바닥에 떨어뜨렸다고 무릎을 꺾고 주저앉진 말자. 저기 당신이 공중으로 떠워올릴 다음 공이 이미 날아오고 있으니까.

처음의 질문을 두고 나에게 어떡하겠느냐고 묻는다면, 아마 이렇게 될 가능성이 높다.

일단 딸에게 눈도장을 찍기 위해 학예회장으로 향한다. 하지만 퇴근길이 꽉 막히는 바람에 이미 학예회는 시작되었고, 와봐야 소용없다는 화난 아내의 문자메시지를 받고서야 그럼 바이어라도 만나야겠다는 생각에 차를 돌린다. 약속장소에 도착해보니, 아니나 다를까 기다리다 지쳐 바이어는 돌아가고 없다. 기왕 이리 된 마당에, 콘서트 끝물이라도 보자 싶어 공연장으로 달려가보지만 방금 끝났단다……

아아, 상상만으로도 슬프다. 어른의 고단한 삶이여!

현명한 사람이라면, 아마도 이렇게 행동하지 않을까?

바이어를 딸의 학예회장 근처에서 만난다. 우리 가족을 꼭 보여주고 싶다면서 학예회장에 함께 들러 아내와 딸을 소개한다. 딸에게는 끝까지 함께 있어주지 못해 미안하다는 쪽지와 선물을 남기고 연극이 시작되면 바로 나온다. 그러고는 바이어에게 여기까지

와줘서 고맙다고 인사하고는, 대신 멋진 콘서트를 예매해두었으니 같이 관람하자고 제안한다. 함께 콘서트를 본 후 뒤풀이로 생맥주를 마시면서 업무 얘기를 한다. 내게 가장 소중한 사람인 가족을 소개하고 다시는 못 볼 록밴드의 마지막 공연을 함께 볼 만큼 친해졌으니, 비즈니스에서도 분명 더 좋은 결과가 있지 않을까.

당신의 가치

살아라.
힘껏 살아라.
살지 않는 것은 잘못이다.
콜린 윌슨, 『아웃사이더』

당신은 중요하다. 아직 아무것도 이루지 못한 형편없는 지경에 놓여 있더라도, 당신은 여전히 가치 있다.

인간은 가치 있기 때문에 존재하는 것이 아니라, 존재하기 때문에 가치 있다.

대학 3학년 때다. 학과동아리에서 학술제를 위해 '성공'한 선배를 만나 인터뷰하고 기금을 모금한 적이 있었다. 우리 조에서 만난 분은 어느 부장판사님. 대학교 재학중에 사법시험에 합격하고 아주 우수한 성적으로 연수를 마친 후 동기 중에 항상 1등으로 승진해서, 누구나 인정하는 대법관 후보 1순위가 되신 분. 이를테면 전국 법과 대학생들의 롤모델 같은 분이었다.

늦은 오후 그분 집무실에서 인터뷰를 진행했는데, 어렵게 찾아온 젊은 후배들이 반가웠는지 저녁을 사겠다고 하셨다. 반주를 곁들여 불고기를 먹은 후, 작은 맥줏집에서 조촐한 술자리가 이어졌다. 다들 조금씩 취했고 집무실에서보다는 훨씬 솔직하고 개인적인 이야기가 오고갔다. 왁자지껄하다가 아주 잠시 침묵이 흐른 순간, 내 친구가 물었다.

"판사님은 왜 사세요?"

정적 속에서 불쑥, 그것도 아무 맥락 없이 던진 약간은 무례한 질문이라, 순간 분위기가 싸늘해졌다. 우리는 어떤 반응이 나올지 궁금해서, 일제히 판사님을 바라보았다. 잠시 후에 나온 그의 대답은 충격적이었다.

"죽지 못해 사는 거지, 뭐."

자조도 아니고 농담도 아닌, 비장한 것도 아니고 비아냥도 아닌, 어쩌면 그 모든 것이 담긴 듯한 말투였다. 나는 깜짝 놀랐다. 아니, 대한민국에서 가장 선망받는 삶을 살고 계신 분이 사는 이유가 고작 '죽지 못해'서라니? 그러면 저분처럼 되기 위해 안간힘을 쓰고 있는 우리는 뭐가 되는가.

'대한민국의 사법정의를 실현하기 위해서' 같은 거창한 대의라든가, 하다못해 '꼭 대법관이 한번 되어보고 싶어서' 같이 속되더라도 개인적인 이유를 꼽았다면 그렇게 놀라지는 않았을 것이다. 그때 스물둘이던 나는 어렴풋이 느꼈다.

'인생에는 성공으로도 채울 수 없는 공허가 있구나······'

그리고 이제 내가 그 부장판사님의 나이가 되어가고 있다.

༄

우리는 왜 사는가? 나의 삶은 왜 의미 있는가?

사람들은 세상이 인정할 만한 뛰어난 실적과 성취를 이뤄야만 의미 있는 존재가 된다고 생각하는 경향이 있다. 하지만 그렇지 않다. 대한민국의 모든 법대생들이 가장 본받고 싶어하는 판사님이라 해도 자신의 삶에 대한 존중이 빠져 있다면 그 성취란 백사장의 모래성처럼 부질없다. 자신의 가치는 스스로 부여하는 것이다. 스스로의 존귀함에 대해 인정할 수 있어야 자신을 존중할 수 있고, 그래야만 어른으로 살아갈 수 있다. 어른의 성찰이란, 자신의 가치를 스스로에게 납득시키는 일이다.

나는 왜 중요한가? 심지어 아직 아무것도 이루지 못한 형편없는 지경에 있더라도, 나는 왜 여전히 가치 있다고 스스로를 설득시킬 수 있는가? 세 가지 이유 때문이라고 생각한다.

첫째, 당신이 사랑하고 또 당신을 사랑하는 사람이 있기 때문이다.

황망하게 세상을 떠나버린 친구의 장례식을 다녀오면서, 다음은 내 차례일지도 모른다는 생각을 한다. 공연히 감상적이 되어서 그런 게 아니다. 멀쩡한 사람이 갑자기 심장마비로 세상을 떠났다. 그런 일이 내게는 닥치지 말란 법이 있는가. 운전중 아슬아슬한 순간을 넘길 때마다, 어느 시인의 표현처럼 오늘은 깨끗한 팬티를 입었는지 생각해본다.

가벼운 교통사고를 세 번 겪고 난 뒤 나는 겁쟁이가 되었습니다. 시속 80킬로미터만 가까워져도 앞좌석의 등받이를 움켜쥐고 언제 팬티를 갈아입었는지 어떤지를 확인하기 위하여 재빨리 눈동자를 굴립니다.

오규원, 「죽고 난 뒤의 팬티」[7] 중에서

어떤 팬티를 입고 죽은들 누가 상관하랴만, 그래도 궁금하다.

나는 어떤 팬티를 입은 채 죽을 것인가?

팬티 대신 수의를 입고 누워 있을 나의 장례식장을 상상해본다. 어느 병원의 장례식장 13호실 복판에 확대한 내 사진 위로 검은 띠가 둘러져 있고, 그 오른편으로 집사람과 두 아이가 상복을 입고 서 있을 게다. 사람들은 봉투를 내고 들어와 향을 올리거나 국화 한 송이를 놓고 상주와 맞절을 한 후 옆방에 가서 육개장을 한 그릇씩 먹을 것이다. 어떤 이는 생전의 내 얘기를 하며 안타까워하겠지만, 어떤 이는 이내 누구 장례식이었는지도 잊은 채 오랜만에 만난 동창들과 사는 얘기를 나누느라 바쁠 것이다.

생을 다한 마지막 순간, 내 영결식장에서 드러날 나의 가치는 과연 얼마만큼일까? 내가 헤어져서 슬픈 사람들, 나를 잃어서 슬픈 사람들, 그 합이 아닐까? 지금 내가 죽는다면 가장 아까운 것은 벌어놓은 돈이나 놓고 가야 하는 직위가 아니라, 내가 사랑하는 사람들일 것이다. 누군가가 나와 다시는 만날 수 없다는 간단한 사실에 진심으로 마음 아파할 때, 그것이 나의 가치를 말해준다.

내가 사랑하는 사람들, 나를 사랑하는 사람들, 그들이 나의 가치다. 그것은 내가 얼마나 많은 돈을 벌었고 얼마나 지위가 높아졌느냐와 무관하다. 다른 사람이 보기에 내가 아무리 형편없는 것만

남겼더라도 나와 사랑을 나눈 사람들이 있는 한, 나는 그만큼의 값어치를 남기고 세상을 떠나는 것이다. 사랑과 우정을 나눈 사람들의 수도 실은 별로 중요하지 않다. 내 인생의 값어치를 알아줄 사람은 한둘이어도 충분하다. 마음을 다해 누군가를 사랑하고 또 누군가로부터 사랑받는다면 그 인생은 이미 가치 있는 것이다. 인생이 본질적으로 힘들다는 생각이 들 때마다 나는 사랑하는 사람들을 생각한다. 그들에게 사랑받고 싶다는 소망이, 그들이 사랑할 만한 사람이 되어야겠다는 다짐이 나를 더 열심히 살아가게 한다.

그러므로 당신의 삶은 가치 있다. 비록 형편없는 지경에 놓여 있더라도, 사랑한 사람이 있는 한.

둘째, 당신은 아직 세상을 더 낫게 만들 수 있기 때문이다.

세상이 조금씩 좋아지고 누군가가 행복해지는 데 기여한다는 것은 기분 좋은 일이다. 꼭 세계평화를 지키는 거창한 일일 필요도 없다. 아들 녀석이 레고를 조립하는 것을 도와 성채가 하나 완성됐을 때, 커다란 기쁨을 느낀다. 무언가 근사한 것을 만들어낸 것이다. 작은 화분을 가꾸고 내 집 앞길을 청소하는 일은 지구의 한 귀퉁이를 아름답게 하는 일이다. 누군가를 기쁘게 했고 편리하게 해준 것이다. 세상을 조금이라도 더 낫게 만들 수 있다면 나는 적어도 그만큼은 가치 있다.

꼭 돈이나 재능을 기부해야 하는 것은 아니다. 단지 종사하는 직업과 맡은 역할에 충실하다는 사실만으로도 우리는 이미 세상에 기여하고 있다. 예를 들어 나는 그다지 특별할 것 없는 사람이지만 선생으로서 내가 가진 지식을 학생들에게 가르쳐주고 그들이 좀 더 나은 품성을 기를 수 있도록 돕는 데 최선을 다한다면, 학생들은 조금이나마 더 나은 사람이 될 테고 세상도 그만큼 더 좋아질 게다. 비단 선생만 그러하겠는가? 무역회사에 다니는 이는 좋은 제품을 수출하는 것으로, 빵집을 차린 이는 맛있는 빵을 만드는 것으로, 도둑이나 사기꾼이 아닌 한, 제 일을 충실히 하는 것만으로 세상은 조금씩 아름다워진다.

내가 한 일로 실제로 몇 명이 영향을 받았는가는 중요하지 않다. 단출한 가족의 어머니, 아내도 세상을 따뜻하게 하는 중요한 사람이다. 대리석과 황금으로 지어진 궁전에 누워도, 지친 몸을 감싸줄 수 있는 담요 한 장이 없다면 인간은 편히 잠들 수 없다. 주부란 이 담요 같은 존재다. 빛나지는 않아도 없어서는 안 될, 빛나지 않기에 더욱 소중한, 한 인간의 행복을 포근히 감싸줄 수 있는 유일한 존재. 달그락달그락 설거지하는 아내의 좁은 어깨 사이에서 지구보다 큰 나의 우주를 본다.

그러므로 당신의 삶은 가치 있다. 비록 알아주는 사람이 많지 않아도, 이 세상 누군가를 조금 더 행복하게 해줄 수 있는 한.

셋째, 당신은 조금씩 더 새로워지고 있기 때문이다.

어느 강연에서 삶을 스마트폰에 비유한 적이 있다. 다양한 애플리케이션을 깔수록 활용 가능성도 무궁무진해지는 스마트폰 말이다. 그런데 많은 젊은이들이 손 안의 스마트폰은 자유자재로 쓰면서, 정작 '삶'이라는 스마트폰으로는 통화만 하려 든다고 야단치면 뜨끔해하는 눈치다. 개인적으로 이 스마트폰의 비유를 무척 좋아하는데, 이 아이디어는 실은 니체의 책을 읽다가 떠올린 것이다.

니체식으로 표현하자면, 모든 인간은 어떤 초월적인 가치를 지닌 완성체의 모습을 가지고 있다. 니체는 초인^{Übermensch} 사상으로 유명한데, 초인은 산에서 득도하고 내려온 도인이나 하느님 같은 절대자라기보다는 우리 모두가 품고 있는 '개별적 가능성'을 말한다. 니체가 보기에 "인간은 그 초월적 가치를 완성하기 위해서 매 순간 자신의 삶을 부단히 극복하려는 실존적 결단을 내리고 있다"[8].

우리 모두는 저마다 가장 아름다운 궁극의 모습을 가지고 있다. 그 모습에 조금씩 다가가기 위해 인간은 자신에게 주어진 한계와 싸우며 노력하고 있다. 뜻은 무척 좋은데 표현이 너무 어려워서, 어떻게 하면 학생들이 쉽게 이해할 수 있을까를 고민하다가 스마트폰을 예로 든 것이다. 스마트폰이든 니체든, 내가 전하고 싶은 메시지는 하나다. "자신이 될 수 있는 최선의 자기가 되도록 노력하라."

그러므로 당신의 삶은 가치 있다. 비록 세상을 뒤집어놓을 큰 변화를 만들어내진 못하더라도, 조금씩 더 새로운 '나'를 향해서 나아갈 수 있다면.

그렇다면 어떻게 최선의 '나'가 될 수 있을까?

우리 모두가 가지고 있는 초인의 모습은 어느 순간 한 방에 이룰 수 있는 성취가 아니다. 초인은 스스로를 끊임없이 극복하려고 시도하는 노력들 속에 있다. 남들의 인정이 필요한 것도 아니다. 핵심은 나다. 그러니까 남들이 부러워할 만한 연봉이나 직위, 혹은 자식이나 배우자의 성공이 아니라, 내가 조금씩 배우고 성장하면서 더 풍요한 존재가 되는 일이 중요하다는 것이다. 다시 말해 세상의 평판이 아니라, 나라는 이름의 초인에 끊임없이 다가가려는 시도들이 나의 가치를 만든다. 우리는 우리가 시도하는 그 무엇이다.

그 시도는 항상 '조금씩' 이루어진다. 그렇기 때문에 '매일매일' 조금 더 나은 존재가 되어간다는 사실에 기쁨을 느끼는 것이 중요하다. 인간의 행복은 절대치가 아니라 점증분으로 결정된다. 어떤 절대적 기준치만큼 가져야 행복해지는 것이 아니라 어제보다 조금 더, 기대보다 조금 더 가질 수 있을 때 행복하다.

어떻게 하면 더 풍요한 나를 만들 수 있을까? 풍요는 '가지는'

것이 아니다. 나 자신이 '풍요로워지는' 것이다. 그래서 소유보다는 경험이 중요하다. 소유물은 언제든지 잃어버릴 수 있지만 경험은 내 존재의 일부가 되기 때문에 누구도 빼앗지 못한다. 많이 체험하고 배우면서 성장해나가는 것, 그것이 바로 삶의 풍요다.

～

당신의 삶은 가치 있다.

조금 더 많은 사람을 사랑하고 또 사랑받을 수 있는, 당신은 가치 있다. 당신의 사명에 다가가며 남들을 돕고 세상을 더 낫게 만들 수 있는, 당신은 가치 있다. 좀더 완성된 자신을 위해 조금씩 배우고 경험해가는, 당신은 가치 있다.

중요한 건 지금부터다.

인생의
하인리히 법칙

미국의 한 보험회사 관리감독관이었던 하인리히는 각종 노동 재해 사고를 분석한 결과, 중상자 1명이 나오면 통계적으로 그 전에 같은 원인으로 발생한 경상자가 29명, 또 운좋게 재난은 피했지만 같은 원인으로 부상을 당할 뻔한 잠재적 상해자가 300명 있다는 사실을 밝혀냈다.[9]

'1:29:300의 법칙'으로 표현되는 하인리히 법칙은 산업재해 예방이나 리스크 관리 분야에서 매우 중요한 이론이다. 한 번의 큰 재난은 그냥 우연히 일어나는 것이 아니라, 이미 29번의 작은 사고가 있었고 무려 300번의 '있을 뻔'한 징후가 있었다는 것이다. 작은 징후에도 철저히 대비해야 한다는 교훈을 주고자 할 때 주로 언급한다.

하지만 하인리히 법칙이 정작 무서운 것은 현실에서는 오히려 반대로 받아들여지기 때문이다. "걱정 마. 내가 300번이나 경험했는데, 아무 일 없어"라고 안도하게 하는 것이다. 설사 일이 나더라도 29번은 경미한 사고다. 그렇게 방심할 때, 돌이킬 수 없는 한 번의 재난이 닥친다.

일상에서도 똑같은 일이 반복된다. 음주운전이 대표적이다. 난생처음 음주운전을 한 날 운 나쁘게도 음주 단속에 딱 걸리거나 평생 돌이킬 수 없는 사고를 내는 사람은 거의 없다. 가볍게 한잔하고 조심조심 집까지 가봤는데, 단속에 걸리지 않고 사고도 나지 않았다. 이런 일이 몇 번 반복되면, '별일 없다'는 자기 확신이 커지고, 어느 순간부터는 상습적으로 음주운전을 하게 된다. 이 '아무 일 없음'의 징후들이, 한 번의 대재난을 향한 하인리히적 임계점을 향해 차곡차곡 쌓여가고 있음을 모르는 채로. 하지만 어느 날 그 '큰일'이 닥치면 그냥 단속에 걸리는 정도의 곤란으로 끝나지 않는다. 자신과 다른 사람의 인생에 씻을 수 없는 상처를 남긴다. 하인리히 법칙이 무서운 이유다.

어찌 음주운전뿐이겠는가? 어른이 되면 크고 작은 일탈에 무뎌

저간다. 늘 별일 없었으니 앞으로도 별일 없을 것이라는 안일한 전제 아래서 말이다.

오스카 와일드의 소설 『도리언 그레이의 초상』에 이런 말이 나온다.

그의 인생에서 죄를 범할 때마다 확실하고 즉각적인 처벌을 받았더라면 더 좋았을 것이다. 처벌은 정화가 뒤따르기 마련이다. "우리 죄를 용서하시고"가 아니라, "우리의 불의를 벌하여 주옵시고"라고 하는 것이 의로운 신에 대한 인간의 기도여야 했다.[10]

빼어난 외모를 지닌 청년 도리언 그레이는 자기를 그린 초상화를 하나 얻는데, 이후 본인은 늙지 않고 초상화가 대신 늙는다. 특히 도리언 그레이가 악행을 저지를 때마다 초상화는 흉측하게 변해가지만 본인은 여전히 아름답다. 청춘의 미모를 고스란히 간직한 도리언 그레이는 생의 마지막에 비참한 최후를 맞을 때, 비로소 이렇게 한탄하는 것이다. 악행을 저지를 때마다 대가를 치렀다면 자신이 이렇게까지 추락하지는 않았을 것이라고.

만약 도리언 그레이가 하인리히 법칙을 자신의 인생에 적용할 수 있었다면, 최악의 비극은 막을 수 있었을 것이라는 생각을 한다.

꿈

오늘 무사히 넘어간 잘못이 있었는가? 다행이 아니다. 불행이
다. 그대는 경고를 받았다. 하인리히 법칙은 계속된다. 사건 현장
에서도, 당신의 삶에서도.

제2부

청춘,
세상에 나가다

내 인생의
반전드라마

연필은 쓰던 걸 멈추고 몸을 깎아야 할 때도 있어.
당장은 좀 아파도 심을 더 예리하게 쓸 수 있지.
너도 그렇게 고통과 슬픔을 견뎌내는 법을 배워야 해.
그래야 더 나은 사람이 될 수 있는 거야.
파울로 코엘료, 『흐르는 강물처럼』

최악의 집주인이 최고의 집주인이다

내가 재직중인 대학에 교수들을 위한 아파트가 있다. 무주택 신임교수에게 저렴한 비용으로 2년 정도 임대해준다. 신임교수들은 대부분 외국에서 유학하다가 갓 돌아왔거나 지방에서 교수생활을 하다가 서울로 옮겨오기 때문에 안정적인 주거환경을 갖춘 사람이 드물다. 지금은 증축해서 조금 여유가 있지만, 내가 신임교수였을 때만 해도 몇 채 없었기 때문에 경쟁도 치열하고 대기명단도 길었다.

예나 지금이나 서울 전셋값이 보통 비싼 것이 아니기 때문에 교수아파트 입주는 대단한 행운이었다. 큰돈을 마련하기 위해 고민하지 않아도 되고, 이곳저곳 집 구하러 돌아다닐 필요도 없었다. 하다못해 전세금을 은행에 넣어두면 그 이자만 해도 얼마인가? 더구나 사는 동안에는 집 좀 깨끗이 쓰라는 잔소리를 들을 일도 없고, 갑자기 집을 비워달라거나 전세금을 올려달라거나 집이 경매에 넘어간다거나 하는 예측불허의 통보를 받을 일도 없다. 한마디로 모든 세입자가 꿈꾸는 최고의 집주인이다.

당연히 나도 교수가 되자마자 신청했다. 아쉽게도 떨어졌다. 속이 많이 상했다. 당첨된 동료가 무척 부러웠다. 결국 여기저기 손을 벌려 전셋집을 구했다. 그 당시 집주인이 나쁜 사람은 아니었는데 IMF 금융위기 직후라 여러 가지 상황이 꼬였다. 변호사 친구의 도움을 얻어 내용증명을 주고받는 일까지 생겼다. 전세 스트레스가 보통이 아니라는 것을 깨닫고 무리해서라도 집을 사야겠다는 생각을 했다. 대출을 받고, 전세를 안고, 친지에게 돈을 빌리고, 아무튼 가능한 모든 방법을 다 동원해서 2년 후에야 겨우 내 집을 마련했다.

비슷한 시기에 교수아파트 입주기간이 끝나가는 동료교수를 만났는데 걱정이 대단했다. 집을 비워줘야 할 시점은 다가오는데 그동안 서울 전셋값이 폭등해서 도저히 답이 안 나온다는 것이다. 입주할 때는 좋았는데 나올 때가 되어 문득 돌아보니, 아무 대책 없이 길에 나앉을 판이란다. 교수아파트 입주에 당첨됐을 때 나에게 으쓱대던 그가, 이제는 반대로 나를 부러워했다. 차라리 그때 떨어져서 대책을 세웠더라면 이렇게 큰돈을 손해 보지는 않았을 거라며 한숨을 내쉬었다.

순간 깨달음이 왔다. '최악의 집주인이 최고의 집주인'이란 말이 무슨 뜻인지 확연히 느껴졌다. 집주인이 세입자를 최악으로 괴롭히면 세입자는 어떻게든 "오냐, 내가 까무러치는 한이 있어도 내 집을 마련하고야 만다!"는 각오를 다지게 된다. 결국 일찍 내 집 마련을 할 수 있도록 북돋은 셈이다. 그때 내가 교수아파트 입주에 떨어지지 않았더라면 어쩌면 나 역시 최근까지 전셋집을 전전했을지도 모른다. 그 불운이 결국 내게는 큰 행운이었다. 그때의 실망이 새삼 부질없다.

그러니 너무 실망하지 말자. 이 좌절이 훗날 멋진 반전이 되어줄 것이다. 위기가 깊을수록 반전은 짜릿하다. 포기하지 말자. 내 인생의 반전드라마는 아직 완성되지 않았다.

일찍 잘라줘서 고마워요

지인이 실직을 했다. 55세까지 정년이 보장되는 안정된 공기업이었는데, 사내정치에 휘말리는 바람에 정년을 5년 남짓 남겨놓고

졸지에 사표를 내게 됐다. 가장 힘들 때 내게 여러 가지 조언을 구했는데 결국 퇴직이 확정되던 날, 함께 과음을 했다. 그는 실망과 걱정과 원망에 짓눌려 있었다. 그리도 안정된 직장을 아직 창창한 나이에 정년을 남겨두고 그만둬야 한다는 사실에 실망했고, 아직 어린 자녀를 둔 가장으로서 경제적인 문제를 걱정했다. 사표까지 내도록 몰아간 몇몇 직장상사들에 대한 원망도 대단했다.

이후 나도 많이 염려했는데 1년도 안 되어 그에게서 한잔하자는 연락이 왔다. 풀 죽은 모습은 간데없고 매우 활기차 보였다. 작은 사업을 시작했고 부업으로 보험설계사로도 일한다고 했다. 큰돈을 버는 것은 아니지만 수입이 꾸준해서 어느 정도 자리를 잡아간다고 은근히 자랑했다. 무엇보다도 정년 없이 늙어서도 계속할 수 있는 일을 찾아서 정말 다행이라고 했다. 흐뭇했다. 헤어질 때 그가 이런 말을 했다. 만약 정년을 다 채우고 나와서 새로 일을 모색했다면 굉장히 어려웠을 거라고.

흔히 퇴직금을 노리는 사기꾼들에게 가장 쉽게 당하는 사람들이 정년퇴임한 공무원, 군인, 대기업 임원 들이다. 철통같은 그들만의 조직에서 긴 시간을 보내고, 늘 갑甲의 위치에 있다가 세상의 어려움을 잘 모르는 채로 회사를 나오면, 협잡꾼의 달콤한 말에 넘어가기 십상이라는 것이다. 하지만 그는 일찍 회사에서 쫓겨난 덕에 한 살이라도 젊을 때 세상을 배웠고, 새 진로를 찾는 데 훨씬 수

월했다고 한다.

"그때는 나를 내친 사람들이 그리도 원망스러웠는데, 이제는 진심으로 고마워요. 더 늦기 전에 나를 잘라줘서! 허허."

그 말은 자기합리화가 아니었다. 진심이었다. 순간 깨달음이 왔다. 그의 불운이, 전에는 한 번도 가보지 못한 새로운 세계로 그를 데려다준 것이었다. 그가 퇴출당하던 순간의 배신감과 불안을 누구보다도 가까이서 지켜봤기에, 이 1년 만의 반전은 참으로 놀라웠다.

그러니까 너무 실망하지 말자. 이 좌절이 훗날 멋진 반전이 되어줄 것이다. 위기가 깊을수록 반전은 짜릿하다. 포기하지 말자. 내 인생의 반전드라마는 아직 완성되지 않았다.

이것도 한 판의 바둑이었겠습니다

나는 바둑을 잘 두지 못하지만 아버지가 바둑을 좋아하셔서 어릴 때 바둑 중계방송을 자주 보았다. 케이블 채널이 없던 시절이었지만 당시에는 유명한 기전의 결승국 정도는 공중파 TV에서 중계방송을 했다. 그때만 해도 제한시간이 넉넉해서 중요한 순간에는 기사들이 몇십 분씩 장고를 하곤 했다. 그럴 때 죽어나는 것은 진행자들이다. 화면에 아무 변화가 없는 30분 동안 좌우지간 뭐든 얘기를 해야 하는 것이다. 주로 해당 기사의 신변이나 바둑계의 뒷얘기를 늘어놓았다.

그러다가 딱, 회심의 한 수가 나오면 아연 사회자가 흥분한다. "아, 드디어 끊었군요! 이제 큰 싸움이 벌어질 것 같습니다." 그러면 이 말을 받아 해설자가 제 앞의 바둑판에 흰 돌 검은 돌을 번갈아 놓아가며 이후의 판이 어떻게 흘러갈 것인지를 예측한다. 그러고는 한마디. "아, 역시 흑이 미세하게 우세한가요?"

이때 사회자가 꼭 묻는 말이 있다. "아까 끊지 않고 이어갔더라면, 그래서 한 번 더 참았더라면 어떻게 됐을까요?" 그 질문에 해설자는 다시 흥이 나서 이미 놓은 돌들을 훑어내고 새로운 판을 보여준다. 그러고는 다시 한마디.

"예, 이것도 한 판의 바둑이었겠습니다."

"이것도 한 판의 바둑". 나는 이 말을 정말 좋아한다. 주로 "이것도 한 판의 인생이겠지요"라고 바꿔서 말한다. 인생에 하나의 정답이 있는 게 아니라는 것이다. 동창회에 나가면 모두 학창 시절에는 전혀 예상하지 못했던 인생의 길을 걷고 있다. 그때마다 새삼 느낀다. 저마다의 인생에 걸맞은 각자의 답이 있었구나. 그런데 그 답은 적절한 때가 되기 전엔 자기 자신조차 모르는 것이었구나.

인생이 바둑보다 멋진 것은, 결정적인 패착이었다고 생각한 실패 이후에 이어지는 삶의 궤적이 그 당시엔 나름 성공으로 보였던 궤적보다 전혀 나쁘지 않다는 것이다. 오히려 더 좋을 때도 많다. 통섭론의 석학으로 불리는 생물학자 최재천 교수는 의대 진학에 실패해서 동물학을 만나게 됐고, 세계적인 디자이너 폴 스미스도 부상으로 필생의 꿈이었던 사이클 선수를 할 수 없게 되자 디자이너의 길을 걷게 됐다고 한다. 그들에게 그 순간의 실패는 엄청난 좌절이었겠지만, 이후 오히려 더 멋진 인생이 피어났다. 이게 바로 '또 한 판의 인생'이 보여주는 매력 아니겠는가?

사람들은 항상 '이번 실패로 내 꿈이 무산됐'고 말한다. 하지만 꿈은 결코 도망가지 않는다. 도망가는 건 항상 당신 자신이다. 왜냐면 실패했다는 게 문제가 아니라, 그 실패로 인해 무엇을 배웠느냐가 중요하기 때문이다. 한 번의 실패에 한 번의 아픔이 있고, 한 번의 아픔으로부터 한 번의 성장이 있다. 그리고 그 성장이 우리를 꿈에 더 가까이 데려다준다.

8천 미터가 넘는 히말라야 14좌를 세계 최초로 완등하고 그중 최고봉인 에베레스트 산을 홀로 무산소 등정해 '세기의 철인'으로 불리는 전설적인 등산가 라인홀트 메스너는 이렇게 말했다.

"머리가 버티는 한, 다리는 견딜 수 있다."

의지가 버텨주는 한, 우리는 어디든 갈 수 있다. 그러므로 쓰러

지는 것을 두려워하지 말고, 다시 일어날 용기를 잃는 것을 두려워
하라.

☙

그대, 이번에 또 실패했는가? 절망으로 다시 아픈가? 그래도
주문처럼 되뇌자.

너무 실망하지 말자. 이 좌절이 훗날 멋진 반전이 되어줄 것이
다. 위기가 깊을수록 반전은 짜릿하다. 절대 포기하지 말자. 내 인
생의 반전드라마는 끝내 완성되어야만 한다.

그대, 이번에 또 실패했는가?
절망으로 다시 아픈가?

너무 실망하지 말자.
이 좌절이 훗날 멋진 반전이 되어줄 것이다.
위기가 깊을수록 반전은 짜릿하다.
절대 포기하지 말자.
내 인생의 반전드라마는 끝내 완성되어야만 한다.

너의 성공에
대비하라

🌾

어려우면 초심을 돌아보고
성공하면 마지막을 살펴보라.
『채근담』

요즘 서바이벌 오디션 프로그램이 참 많다. 종목도 다양하지만 특히 가수를 만들어주겠다는 프로그램이 많다. 전국 각지에 가수 되겠다는 사람이 그렇게 많고, 또 노래 잘하는 사람이 그렇게 흔한 줄 미처 몰랐다. 드디어 대망의 결승전. 백만 명이 넘는 사람 중에 고르고 또 고른 두 사람이 무대에 서고 마지막에 우승자가 호명된다. 예전에는 1, 2, 3등이 상금과 부상을 나눠 가졌는데, 요즘은 1등에게 몰아주는 것이 대세다. 우승자에게 엄청난 혜택과 휘황찬란한 축하가 쏟아진다. 그런데 신기하다. 1등 하는 이들은 대개 어려운 환경에서 자란 친구들이다. 그들은 온갖 역경을 딛고 드디어

원하는 목표를 이뤘고, 가수로 데뷔할 것이다. 축하의 의미가 더욱 커진다.

하지만 내 생각은 조금 다르다. 축하보다는 걱정이 앞선다. '진짜 좋은 가수가 되기 위해서는 지금부터 시작이다', 뭐 이런 뻔한 의미에서가 아니다. 폭포처럼 쏟아지는 꽃가루 속에서 눈물 흘리며 기뻐하는 그를 보며 '저 친구는 과연 저 성공의 무게를 버틸 수 있을까?' 하는 걱정이 든다.

사실 우리는 성공보다 실패를 더 자주 경험한다. 그래서 실패에 익숙하다. 작은 실패에 쉽게 좌절하지 말라는 조언도 많이 듣는다. 실패했다는 것은 목표가 아직 저기 견고하게 존재한다는 의미이고, 그렇다면 그것을 향해 다시 도전하면 되는 것이다. 하지만 성공은 인생에 몇 번 오지 않기 때문에 대비할 기회가 거의 없다. 그래서 견뎌내기가 쉽지 않다. 성공에도 대비가 필요하다고? 성공도 견뎌내야 하는 것이라고? 그렇다. 갑작스러운 성공은 예기치 못한 실패보다 위험하다. 비단 오디션 프로그램 우승자만의 문제가 아니다. 모든 준비되지 않은 성공이 그렇다.

얼마 전 휘트니 휴스턴이 사망했다는 소식을 들었다. 약물중독 때문이라고 한다. 좋아했던 가수인데 말로가 좋지 않아 안타깝다.

휘트니 휴스턴뿐만 아니라 일찍 성공한 스타들이 속절없이 추락했다는 소식을 자주 접한다. 이런 안쓰러운 소식들은 준비되지 않은 성공의 이면을 말해준다. 스포트라이트가 눈부실수록 그림자도 길고 진하게 남는다. 우리가 직시해야 하는 것은 조명이 아니라 자신의 모습을 닮은 그림자다. 화려한 조명만을 바라보다가는 눈이 먼다. 세상을 똑바로 볼 수 없게 되는 것이다. 그리고 결국 자기 자신조차 제대로 볼 수 없게 된다.

작가 오스카 와일드는 "인간의 가장 큰 불행은 두 가지다. 하나는 꿈을 이루지 못하는 것이고, 또하나는 꿈이 이루어져버리는 것이다"라고 했다. 재미있다. 꿈을 이루지 못하는 것이 불행인 것은 알겠다. 하지만 꿈이 이루어지는 것이 불행이라니! 독설로 유명한 오스카 와일드답다.

모두들 '꿈은 이루어진다'를 주문처럼 외우고 사는 시대다. 꿈을 이루는 것이 우리의 간절한 소망이자 행복의 조건이기는 하지만, 정작 꿈이 이루어지는 순간 꿈은 현실이 되어 더이상 꿈이 아니게 된다. 비록 그것을 이뤘기 때문이라고 할지라도, 더이상 꿈이 남아 있지 않은 삶, 그것은 얼마나 맥 빠지는 인생일 것인가? 꿈이 없다는 것은 인간에게 가장 큰 형벌이다. 인생이란 꿈을 향해 자라는 해바라기 같은 것이니까.

우리에게는 목표가 많다. 좋은 성적으로 학교를 졸업하고, 남들이 인정할 만한 직장을 갖고, 좋은 배우자를 만나 결혼하고, 공부 잘하는 자녀를 두고, 더 많은 연봉이나 더 높은 사회적 지위를 얻고…… 그런데 이런 목표들이 한 번에 이루어지거나, 복권 맞듯이 과분한 성취가 뚝딱 이루어지는 순간들이 있다. 이때 자기 삶의 의미를 새롭게 다지지 못하고 성공의 단맛에 취해버리면, 꿈 대신 공허가 밀려오기 시작한다.

이때 대부분의 사람들은 매번 더 큰 목표를 다시 세우는 것으로 공허를 채우고자 한다. 그러면 인생은 바닷물을 들이켠 것처럼 마시면 마실수록 더 큰 갈증을 느끼는 거대한 순환이 된다. 나중에는 자기가 목표를 추구하는 것이 아니라, 목표가 자신을 몰아가게 된다. 상황이 이쯤 되면 성공이 자기 자신을 희생물로 삼는 일마저 생긴다. 영어에 'victim of his/her own success(성공의 희생자)'라는 표현이 있는데, 이런 역설적인 상황을 일컫는 말이다. 가장 극단적인 경우가 약물, 알코올, 섹스, 도박 등에 의존하는 유명인들의 사례다. 그만큼 엄청난 성공을 해보지 못한 우리로서는 이해하기 쉽지 않지만, 실패했을 때보다 성공했을 때 더 세심한 자기관리가 필요하다는 것을 보여준다.

우리는 성공을 그렇게 갈구하면서 왜 성공 이후의 일들에 대해서는 아무런 대비도 하지 않을까? 이 글을 읽는 분 중에 '이만하면 제법 많이 이루었다'고 자부하는 분이 많았으면 좋겠지만, 동시에 한번쯤 생각해봤으면 좋겠다. 자신이 진정 소중하게 생각하는 것이 무엇인지에 대해서 말이다. 무엇을 위해 그렇게 성공을 추구해왔는지에 대한 첫 마음을 말이다. 그래야 자신의 성공으로부터 자신을 지킬 수 있다. 인생이란 성공이냐 실패냐의 승부가 아니라 어떤 상황에서도 늘 자신을 돌보면서 지속해나가는 노력의 기록이기 때문이다.

떠나느냐 남느냐,
그것이 문제로다

넌 스스로를 몹시 괴롭히는 성격이로구나.
사실 넌 지금의 사회생활에 적응하기에는
너무 열정적이고 과격해.
하지만 고통이란 그다지 중요한 것은 아니란다.
중요한 것은 자기의 뜻을 이루는 거야.

시몬 베유

"에잇, 사표…… 내자, 사표 내자!"

직장인 둘이 포장마차에서 울분을 토하고 있다. 텔레비전에 나오는 그 장면을 지켜보던 '백수'는 사표를 쓸 수 있는 직장인이 부럽고, 또 누워서 텔레비전을 시청하는 백수를 지켜보는 갓 입대한 이등병은 그렇게 뒹굴뒹굴 누워 있는 백수가 부럽다. 그리고 마지막 반전. 포장마차에서 술을 마시던 직장인들은 오히려 제대만 생각하면 되는 이등병을 부러워한다. 화제가 되었던 어느 자양강장제 광고.

어디 광고뿐이겠는가. 현실에선 더 많은 사람들이 지금부터라도 직장을 그만두고 다른 삶을 살겠노라는 결단 앞에서 고민한다.

요즘처럼 직장생활 빡빡한 사회에서 마음속에 사표 한 장 품고 출근하지 않는 사람, 누가 있으랴!

⁂

처음 취직이 되었을 때는 그래도 한숨 돌렸다고 생각했다. 학창 시절 목표하던 '꿈의 직장'은 아닐지라도, 그래도 내게 돈을 주는 곳이 생겼다는 사실이 얼마나 대견했던가! 첫 출근날 입을 옷을 고르던 새 아침에 솟구치던 희열과 팽팽한 긴장감이 아직도 기억에 새롭다. 하지만 안타깝게도 적지 않은 신입사원들이 시간이 지날수록 회사가 적응하기 어렵고 기대에 미치지 못한다고 불만을 토로한다. 요즘처럼 취업이 어려운 시기에 그래도 다닐 회사가 있다는 게 어디냐고 스스로를 위안해보지만 자꾸 다른 생각이 든다. 일단 취업하는 데 급급해서 하지 못했던 여러 가지 고민을 비로소 시작하게 된다. 지쳐 퇴근하다가 혼자 들른 포장마차에서 소주잔을 비울 때, 차라리 이등병이 부러워지는 것이다.

이 시대의 청춘이 아픈 이유 중 하나는 원하는 곳에 취직하기가 어렵기 때문이다. 이건 시대적이고 사회적인 문제이다. 많은 취업준비생들이 대기업에 입사하기를 희망하는데, 자리는 제한돼 있다. 그러나 한편으로는 치열한 경쟁을 뚫고 취업에 성공한 신입사원들 중에 조기퇴사하는 비율이 적지 않다. 한국의 간판 대기업 10곳을 조사한 결과, 대졸 신입사원들의 입사 3년 이내 퇴사율은 10개 회사의 절반가량이 10% 내외였고 20%를 넘는 곳도 있었다고 한다.[11]

한 회사에서 강연을 마치고 CEO와 커피 한잔을 마셨다. 내가 젊은 직장인들을 위해 글을 쓰고 있다니까 그가 이런 이야기를 했다.

"요즘 젊은 사원들은 학교에서 했어야 할 고민을, 회사 들어와서 시작하는 것 같아요."

그 말을 듣고 나는 속으로 조금 웃었다. 요즘 청춘이 힘든 이유가 사춘기 시절인 중고등학교 때 했어야 할 고민들이 대입 준비 때문에 유보되다가, 대학생 때 비로소 터져나오기 때문이라고 말해온 탓이었다. 그런데 이번에는 대학생 때 했어야 할 고민들을 취업 준비 때문에 유보하다가 직장인이 되어서야 비로소 시작한다는 것이다. 이 나라에서는 도대체 언제가 되어야 제때 제 고민을 할 수 있는 것일까?

어쨌든 대한민국의 직장생활은 누구에게나 녹록지 않다. 그래서 수많은 젊은 직장인들이 입사와 더불어 학생 때 이미 끝냈어야 할 고민을 새로 시작한다. 더구나 크게 내키지 않는 상태에서 너무 늦기 전에 취직해야겠다는 생각으로 입사한 회사라면 더욱 그렇다. 직장인을 위한 자기계발서나 직장상사들은 '입사했으면 일단 3년, 아니 적어도 1년이라도 버텨보라'고 권하지만, 그만두려는 입장에서는 조금이라도 빨리 퇴직해야 더 빨리 새 직업을 얻을 수 있다고 생각한다. 심지어는 적당한 시기에 직장을 옮겨줘야 몸값을 올릴 수 있다고 믿는 사람도 적지 않다. 이른바 '직테크職tech'다.

사장님들은 '요즘 젊은 직원들은 인내심과 적응력이 부족하다'고 개탄하지만, 퇴사자들은 '요즘 회사는 업무가 과다하고 스트레스를 너무 많이 준다'고 분노한다. 객관적으로 말하자면 우리나라의 직장문화는 문제가 좀 있다고 생각한다. 세 사람이 해야 적정한 일을 둘이서 해내야 하니, 한 사람은 취직을 못 해서 불행하고, 두 사람은 일을 너무 많이 해서 불행하다. 어떻게든 개선되어야 한다.

게다가 시대도 변했다. 불과 수십 년 전에는 배우자의 얼굴도 제대로 보지 못한 상태에서 중매결혼을 하고, 마음에 들지 않아도 이혼할 엄두도 내지 못한 채 살아야 했다. 결혼생활뿐만 아니라 직장생활도 마찬가지였다. '평생직장'이라는 개념이 강해서 회사는 가족과 같고, 그것을 떠나는 것은 거의 배신으로 취급받았다. 아무리 힘들어도 '내 팔자가 그런 것'이라고 위안하며 참아내던 시절이었다. 하지만 이제는 세상이 달라졌다. 평생을 참고 살던 노인들도 황혼이혼을 감행하고, 새내기 직장인들은 여차하면 사직서를 날린다.

심지어는 기회가 닿는 대로 '더 이름 있는 회사'를 찾는 경우도 있다. 사실 우리나라의 혹독한 취업현실에서는 1순위로 희망하던 '바로 그곳'에 취직하는 사람보다는 차선의 선택으로 문을 두드린 곳에 입사하는 사람이 훨씬 더 많다. 많은 고등학생과 재수생 들이 자기만의 꿈과 적성이 아니라 입시학원에서 만든 배치표를 보고 대학을 지원하고, 좀더 위 칸에 있는 학교에 진학하지 못한 것에 절망한다. 이 '배치표 사고'를 버리지 못한 많은 대학생과 취업준비생 들이 같은 마인드로 매출액 순위에 따라 기업을 한 줄로 세운 후, 더 위에 있는 대기업에 취직하지 못하면 다시 절망한다. 참으로 소모적인 열패감, 그 이상도 이하도 아니다. 왜냐하면 인생에서 가장 중요한 직장은 첫 직장이 아니라 마지막 직장이기 때문이다.

자, 그렇다면 어떻게 해야 할까? 어떻게 남고 언제 떠날 것인가? 물론 상황마다 다를 것이다. 직장마다 환경이 다르고, 각자의 열망이 다른데, 일률적으로 '이것이 답이다'라고 말하는 것은 어렵다. 하지만 일반론을 이야기하자면, '지금 다니는 직장은 도저히 안 되겠다'는 이유라면 좀더 참고, '새로 시작하고픈 일에 대한 열망으로 가슴이 뛴다'면 용기를 내라는 것이다. 어떤 일에 대한 열망이 얼마나 큰지는 자기 자신만 알 수 있다.

어떻게 알 수 있을까? 쇼펜하우어는 이렇게 말한다.

> 지금까지 자신이 진실로 사랑한 것은 무엇이었는가? 자신의 영혼이 더 높은 차원을 향하도록 이끌어준 것은 무엇이었는가? 무엇이 자신의 마음을 가득 채우고 기쁨을 안겨주었는가? 지금까지 자신은 어떠한 것에 몰입하였는가? 이들 질문에 대답하였을 때 자신의 본질이 뚜렷해질 것이다. 그것이 바로 당신이다.[12]

'자신이 진실로 사랑하고, 영혼을 더 높은 차원으로 이끌어주는 일'이 어느 날 갑자기 저절로 주어지는 것은 아니다. 탑을 쌓듯이 계속 쌓아올려야 한다. 그러므로 단지 '못해먹겠다'는 이유로 사직서를 던지는 것은 자기 자신에게 무책임한 일이다. 사람은 누구나 자기의 능력을 과대평가하는 경향이 있다. 또 가보지 않은 새로운 직장에서는 더 잘할 수 있을 것이라는 막연한 기대도 갖는다. 학창 시절의 자유로움을 뒤로하고 처음 맞닥뜨린 빡빡한 직무환경과 새로운 직장에 대한 동경이 만나면, 이직에 대한 막연한 환상이 커진다.

사실 이것은 취업 준비를 할 때부터 고민해야 한다. 요즘 취업이 워낙 힘들다보니, 일단 뽑아만 준다면 어디든 좋다는 식의 '묻지 마 지원'이 많다. 그러니 '묻지 마 퇴사'도 자연스럽게 많아진다. 절박한 심정이야 십분 이해하지만, 전 생애를 놓고 생각한다면 참으로 큰 손해다.

'천천히 서두르라'는 말이 있다. 내 꿈의 크기를 객관적으로 재봐야 한다. 막연한 도피가 아니라 명확한 도약이라는 자기 확신이 있을 때 '결정적 순간'은 만들어진다. 그 순간을 위해 천천히 서두르며 준비해야 한다.

그 시점까지는 이 말 한마디가 등대다.

"사랑하지 않을 것이면 떠나고, 떠나지 않을 것이면 사랑하라."

마음에 사표를 품은 직장인은 누구나 선택의 기로 앞에서 고민하는 햄릿이다. 그 유명한 고뇌의 대사가 바로 당신의 번민이었던 것이다.

떠나느냐 남느냐, 그것이 문제로다. 참혹한 스트레스의 화살을 맞고도 참아야 하느냐, 아니면 성난 파도처럼 밀려오는 실직자의 고난에 맞서 용감히 싸워 그것을 다시 극복해야 하느냐. 어느 쪽이 더 현명한 일일까?

세익스피어, 『햄릿』 3막 1장 (강조는 필자가 바꾼 표현)

마음에 사표를 품은 직장인은
누구나 선택의 기로 앞에서 고민하는 햄릿이다.

"사랑하지 않을 것이면 떠나고,
떠나지 않을 것이면 사랑하라."

첫 월급

옆자리에서
오늘 하루 번 것을
이것저것 이야기하고 있다

소주 마시는
두 젊은이
벌써 지아비이고 아비로다
고은, 「순간의 꽃」

『아프니까 청춘이다』를 읽은 분이라면 A박사를 기억할지 모르 겠다. 「그대의 열망을 따라가라」는 글에서 기업으로부터 좋은 제 안을 받았지만 자신의 꿈인 교수가 되기 위해 오랜 기다림을 감수 하던 그 A박사 말이다. 그가 드디어 교수가 되었다. 그동안 몇 차 례의 낙방에 적지 않게 상심하다가 스스로에게 '마지막 지원'이라 고 다짐했던 대학에 우수한 성적으로 채용되어, 2012년 1학기부터 교수생활을 시작한 것이다. 미남 총각교수가 새로 부임했으니, 그 인기가 어떨지 눈에 선하다.

그의 교수 채용이 확정되던 날, 나는 내가 교수 되었을 때만큼이나 기뻤다. 하도 좋아서 트위터에도 그 소식을 올렸는데 잠잠하던 타임라인에 불이 나도록 많은 분들이 축하해주었다. 오랜 인고가 헛되지 않았음을 증명하는 날은 인생에서 손꼽을 만한 벅찬 순간이다. 기다림은 값을 한다.

그 A박사가 다급하게 전화를 걸어왔다. 오늘 저녁 꼭 만났으면 좋겠다는 것이다. 잠깐이면 되니까, 학교도 좋고 집도 좋다고 했다. 찾아오기 번거로울 테니 웬만하면 전화로 얘기해도 좋다고 말했지만, 그는 꼭 만나야 한다고 했다. 혹시 신상에 무슨 문제가 생긴 것은 아닌지 약간 걱정도 되었다.

말쑥한 정장 차림으로 학교로 찾아온 A박사는 한눈에도 보기 좋았다. 잘 자라준 자식을 바라보는 부모의 대견함이 이런 것이리라. 그리고 A박사가 내게 내민 것은 예쁘게 포장한 초콜릿 한 박스.

"오늘 첫 월급을 타서요…… 꼭 전해드리고 싶어서 바쁘신데 결례를 범했습니다."

아, 그랬구나. 오늘이 첫 월급날이었구나! 잊지 않고 멀리서 찾아준 그 마음이 고마웠다.

내가 첫 월급을 받던 날이 떠오른다. 그 전에 이런저런 아르바이트로 돈을 벌어본 적이 없는 것은 아니었으나, 처음 받아든 서울대학교의 급여명세서는 내가 받아본 어떤 증서보다도 영예로웠다.

신임교수 오리엔테이션을 받을 때 각자 소회를 얘기하는 시간이 있었는데, 사립대학교에서 옮겨온 교수들이 많아서, 그분들은 감사의 소감에 더해 이런 걱정을 덧붙이셨다.

"월급이 절반으로 줄어들어서 실은 집사람이 걱정을 많이 하고 있습니다."

하지만 내 차례가 되었을 때 나는 이렇게 말했다.

"다른 분들은 월급이 줄어서 걱정이시라지만, 저는 처음 받아보는 월급이라 아주아주 좋습니다. 설령 지금 액수의 절반을 주신다고 해도 저는 정말 감사하게 학교를 다닐 것 같습니다. 아참, 그렇다고 진짜 월급을 깎지는 마시구요!" (일동 웃음)

첫 월급, 우리는 잊지 못한다. 처음 소속된 낯선 공간에서 한 달 내내 일한 내 땀의 첫 대가를. 그건 아마도 첫 사냥에 나선 젊은 사자가 제힘으로 먹잇감을 쓰러뜨렸을 때의 쾌감에 비할 수 있으리라. 물론 부모님께 속옷도 사드리고 친구들에게 한턱내느라 며칠 지나지 않아 통장은 다시 마이너스로 돌아서겠지만, 급여통장에 선명하게 찍힌 입금액수는 내가 진짜 어른이 되었다는 견고한 증거일 터이다. 한 달간 내 몸과 마음을 바친 대가로는 아직 적은 액수이지만, 커다란 꿈을 향해 출발하는 이에게는 대견한 액수다.

늘 누군가에게 의존해 소비자로만 살았던 생애주기를, 이제는 내 힘으로 생산하고 또 소비할 수 있는 생산자이자 소비자로서의 주기로 바꾸는 위대한 변곡점이 이날 만들어지는 것이다.

급여통장은 단지 용도불명의 액수가 내가 소속된 회사에서 카드회사로 날아가기 전까지 잠시 머무는 정류장 이상의 가치가 있다.

나는 지금도 첫 월급의 명세서를 보관하고 있다. 오랜 기다림이 값을 했다는 그 뚜렷한 증거를 초심을 담아 간직하기 위해서다. 요즘엔 아내가 관리하는 통장으로 급여가 바로 들어가고, 지급내역도 인터넷에서 확인하는 방식으로 바뀌어버린 통에, 이달에 얼마가 들어왔는지 확인조차 못 할 때가 많다. 하지만 직장생활이 버겁게 느껴질 때마다 지금보다 적은 첫 월급 액수만으로도 온 세상을 다 가진 것 같았던 기분을 되새기곤 한다.

매달 급여일만이라도 첫 월급날을 기억해야겠다. 내 인생에 경제적 이등분점이 찍히던 날, 내가 소득으로써 비로소 어른이 된 기념일을 통해 흐트러진 일상을 다잡고 초심을 떠올리고 싶다.

빨리 A박사에게 전화해서, 첫 월급이 찍힌 급여통장은 반드시 보관하라고 당부해야겠다.

일이냐, 돈이냐

🌱

매일 아침 당신 앞에 돈을 벌어야 할 24시간이 아닌,
살아야 할 24시간이 펼쳐진다.
달아나고 싶은 유혹에 지지 말고,
지금을 생생히 살아야 하는 이유다.
당신이 투자할 것은 돈이 아니라 당신의 삶 자체다.
틱낫한

우리는 돈을 벌기 위해서 직업을 갖고 일을 한다. 이 사실은 자못 분명한 것 같다. 돈을 바라지 않고 하는 일은 '자원봉사'나 '재능기부'라고 부르지 직업이라고 하지 않는다. 보수가 지급되지 않는 전업주부의 가사노동도 현물의 화폐가 오가지 않을 뿐, 법적인 문제가 생기면 그 가치를 돈으로 환산해 계산한다.

많은 이들이 더 많은 보수를 주는 직업을 흔히 더 '좋은 일'이라고 부른다. 그런데 여기에 역설이 있다. 인생 선배들은 돈 때문에 일하지 말라고 한다. 큰돈을 번 사람일수록 "나는 돈 벌려고 열심히 일한 것이 아니라, 열심히 일을 하다보니까 큰돈이 생겼다"고

말한다. 자수성가한 분들의 인터뷰를 보면 모두 같은 취지의 말을 한다. 왜 그럴까? 그냥 겸손일까? 아니면 가식일까? 돈을 벌기 위해 기업을 경영하는 사람을 가장 경멸했다는 스티브 잡스는 스탠퍼드 대학 졸업축사에서 이렇게 말했다.

"여러분이 진정으로 사랑하는 일을 찾으십시오."

돈을 벌 수 있는 일이 아니라 사랑하는 일을 찾는다는 것, 말은 좋다. 하지만 어떻게 하면 그렇게 할 수 있을까? 우선 스스로에게 진솔하게 묻자. "나는 지금 내가 하는 일을 사랑하는가?"

일본 도쿄 대학 강상중 교수의 『고민하는 힘』이라는 책을 읽다가, 지금 하고 있는 일을 과연 사랑하는지를 판별할 수 있는 간단한 방법을 떠올려보았다.

"한 30억원 정도의 로또에 당첨이 된다고 해도, 지금 하고 있는 일을 계속할 것인가?"를 스스로에게 물어보면 되는 것이다.[13] "야! 그런 큰돈이 있는데 이런 일을 뭐하러 해?"라고 답한다면 돈 때문에 일하는 것이고, "아니야, 그래도 이 일은 계속할 것 같아. 지금처럼 아등바등하진 않더라도 즐기면서, 그냥 재미로라도……"라고 답한다면 당신은 그 일을 사랑하고 있는 것이다.

사실 로또에 당첨되더라도 지금 하는 일을 계속하는 사람은 대단한 행운아다. 실제로 그런 비율은 대단히 적을 것이다. 아마

대부분의 사람은 로또만 된다면, 좀 쉬거나 놀면서 다른 일을 찾아보겠다고 대답할 것이다. 하지만 로또에 당첨되고 나서 오히려 불행해지는 사람이 많다는데, 그 이유 중 하나가 일을 그만두기 때문이 아닐까 생각한다. 일에는 돈벌이 이상의 의미가 분명하게 존재한다.

문제는 우리가 로또에 당첨될 확률도 매우 낮고, 진정 사랑하는 일을 찾아 변신을 모색하기도 쉽지 않다는 점이다. 진정 사랑하는 일을 해야 한다는 사실을 몰라서 못 하는 것이 아니다. 그런 일을 찾기가 쉽지 않고, 찾는다고 해도 그 일을 실행하는 것이 간단하지 않다는 현실이 문제다. 예를 들어 '의사가 되고 싶다. 의사만 될 수 있다면 정말 내 일을 사랑할 것 같다'는 생각이 들더라도, 의과대학을 졸업하고 국가시험에 합격하지 않으면 아예 의사가 될 수 없다. 마음먹었다고 거저 되는 쉬운 일이 아니다.

일본의 100세 최고령 게이샤 고킨 씨가 이렇게 말했다고 한다.

"천직은 무슨. 달리 먹고살 게 없으니까 한 거지. 인생은 이상해. 싫다고 싫다고 울면 더 그 일을 하게 돼. 난 100살까지."[14]

어떻게 할 것인가? 지금 하고 있는 일을 사랑할 수 없다면? 그 어떤 재미도 찾을 수 없다면?

그렇다면 일이냐 아니냐를 떠나서 세상에서 제일 재미있는 일은 뭘까? 그대는 궁금하지 않은가? 세상에서 제일 재미있는 일!

나는 이렇게 생각한다.

성장하는 것이다.

이 구절을 읽고 실망하는 당신의 표정이 눈에 선하다. 성장? 그게 뭐, 재밌다고? 역시 천생 '선생님'다운 틀에 박힌 모범답안이군, 할 것 같다.

하지만 이 평범한 답 속에 비밀이 있다.

사람은 자기가 조금씩 성장하는 것을 느낄 때 희열을 느낀다. 중독성 강한 게임을 예로 들어보자. 게임회사에 다니는 이가 말하기를, 게임을 설계할 때 가장 중요한 요소는 레벨이든, 계급이든, 아이템이든, 어딘가에 게이머가 '성장'하는 설정을 부여하는 것이라고 한다. 그래야 게이머들이 더 깊이 게임에 빠져들 수 있다고 한다.

운동 가운데서는 골프, 당구, 마라톤이 한번 빠지면 헤어나기 힘든데, 이들의 공통점은 성장의 요소가 강하다는 것이다. 이 운동들은 자기 레벨이 정해진다는 점에서 다른 운동과 확연히 다르다.

'오늘 드디어 싱글을 기록했다' '200을 놓고 이겼다' '마의 네 시간 벽을 깼다'는 식으로 실력 향상을 객관적인 지표로서 보여주기 때문에, 한번 맛을 들이면 헤어나기 힘들다. 배우고 자라는 일은 경쟁에서 이기는 일보다 재미있다.

동화나 애니메이션에도 성장의 요소가 있어야 한다. 〈포켓몬스터〉가 아이들의 폭발적인 사랑을 받은 것은 '진화'라는 개념을 선보였기 때문이다. 성장하고 변화하면서 재미를 느끼는 아이들의 본능을 정확히 꿰뚫어본 것이다.

자, 이제 동의하는가? 인간의 기쁨 중에 가장 큰 즐거움은 성장하는 것이다.

성장하는 것이 오락이나 취미에서조차 가장 큰 기쁨의 원천이라면, 일에서도 마찬가지일 것이다. 아니, 더 본질적일 것이다. 일하면서 성장하고 있다고 느낄 때, 우리는 그 일이 재미있고 또 사랑할 만한 것이라고 여긴다.

예컨대 편의점에서 하루 종일 바코드를 찍으며 다리가 퉁퉁 붓도록 아르바이트하는 일은 전혀 재미있지도 않고, 큰돈이 되는 일도 아니다. 편의점 알바를 평생직업으로 생각할 사람도 없을 것이다. 그래서 대부분 시간을 때우며 일당을 번다. 하지만 조금만 달리 생각하면 편의점 알바에서도 시급보다 훨씬 소중한 것을 얻을 수 있다. 소비자의 매장 내 행동을 학습하고, 매장 입지에 관한 노하우를 터득하며, 본사의 납품을 받으면서 재고관리의 기법을 깨달을 수 있다면, 그래서 매일매일 '나는 배우고 성장하고 있다'는 기쁨을 누릴 수 있다면, 우리는 비로소 그 일을 사랑할 수 있게 되었다고 말할 수 있다. 그리고 이 성장 과정은 언젠가 펼쳐나갈 자기 사업을 큰 성공으로 이끌 수 있는 밑바탕이 될 것이다.

세계 최고의 투자가로 불리는 워런 버핏은 여덟 살 때 동네 쓰레기통에서 병뚜껑을 모으며 음료의 수요를 짐작했다고 한다.[15] 중요한 것은 자기 관심사에 대한 집중과 사소한 일들에서도 경험을 쌓으며 배우겠다는 열정이다.

❧

물론 돈은 세상 속에서 내 일의 쓸모를 보여주는 증거가 되어주기도 한다.

일본의 만화가 사이바라 리에코는 "'돈이 되지 않더라도 나만 만족하면 괜찮아!'라고 생각하는 사람은 자신의 재능을 현실에 잘 착지시킬 수 없다. 그런 생각이야말로 뜬구름 같은 덧없는 꿈으로 끝나고 만다. 그러나 '내 재능으로 어떻게 돈을 벌 것인가'를 진심으로 생각한다면 정말 하고 싶은 일이 현실로 다가온다"[16]고 말했다.

돈을 벌고 자기 자신과 가족의 삶을 책임지다보면 일에 대한 절실함이 생기고 더 잘해야겠다는 자극을 받는다.

하지만 돈을 얼마나 '많이' 버느냐에 생각이 갇히면 우리는 일의 수인囚人이 된다. 정말 중요한 것은 수입의 많고 적음이 아니라, 일에 대한 사랑이고 성장의 재미다.

그렇게 자신이 도달할 수 있는 '최선의 모습'에 한 걸음 한 걸음 다가갔을 때, 돈은 자연히 따라온다. 그래서 수많은 성공담이 돈을 목표로 했을 때가 아니라 자기 성장을 목표로 했을 때 이루어졌다고 말하는 것이 아닐까?

일은 나의 정체성이며 본질이다. 영어식 표현으로 하자면 "우리는 우리가 하는 일 자체We are what we work on"인 것이다. 그런 나의 존재 가치를 고작 돈으로 환산한다면, 그러한 행위야말로 모욕적이지 않은가?

스티브 잡스의 말처럼 자기가 진정으로 사랑하는 일을 찾아라. 하지만 찾기가 쉽지 않거나 그 일을 당장 시작하기 힘들다면, 자기가 사랑하는 일을 할 수 있도록 꾸준히 성장하라. 그러기 위해서는 현재 하고 있는 일이 아무리 하찮게 여겨진다고 하더라도, 지금 여기서 하는 일에서부터 끊임없이 배울 것을 찾아 배워나가야 한다.

그것이 로또에 당첨되더라도 지금 하는 일을 계속 사랑할 수 있는 원동력이다.

⚘

자신의 일이 시시해 보이는 것은 자꾸 다른 직업과 자신의 직업을 비교하기 때문이다. 경영기법에 벤치마킹bench-marking이라는 용어가 있다. 강물의 깊이를 재기 위해 세워둔 막대를 '벤치마크'라고 하는데, 특정 분야에서 뛰어난 상대를 정해 자신과 비교하고 모자란 점을 찾아 배우는 것을 말한다. 기업을 경영할 때뿐만 아니라 인생을 설계할 때에도 벤치마킹은 필요하다.

하지만 세상에 첫발을 내딛는 젊은이들에게 벤치마킹보다 더 절실한 것은 '셀프마킹self-marking'이 아닐까. 셀프마킹이란 '자신이 될 수 있는 최선의 미래상'을 그린 후, 그 모습을 위해 차근차근 배우고 성장해나가는 것을 말한다.

물론 벤치마킹도 중요하다. 많은 부모들이 어린 자녀에게 위인전을 읽히는 것은, 자기 영역에서 일가를 이룬 위인들의 삶의 태도를 본받기를 바라는 마음에서다. 성공한 사람들의 인터뷰를 읽을 때, 우리는 밑줄을 그으며 배울 점을 가슴에 새긴다.

그런데 문제는 대부분의 젊은이들이 '제일 잘나가는 친구', 흔히 말하는 '엄친아, 엄친딸(엄마 친구 아들/딸)'을 벤치마킹하려 든다는 점이다. '저 친구는 저렇게 앞서나가는데, 나는 지금 이게 뭔가?' 하고 자책한다. 초조하고 조급해진다. 진정한 분발보다 섣부른 모방을 먼저 한다.

하지만 내가 늘 강조하듯 직업마다 인생마다 가장 활짝 피어나는 전성기는 따로 있다. 조급증과 모방은 그 전성기를 더디 오게 할 뿐이다. 자신의 미래상을 확고하게 세우고 그것을 향해 뚜벅뚜벅 걸어갈 수 있는 우직함이 필요하다. 그것이 바로 셀프마킹이다. 핵심은 남과의 비교가 아니라 자신의 일이요, 미래요, 꿈이다.

왜 자꾸 남이 하는 일만 선망하는가? 오스카 와일드의 표현을 빌리면, "당신 자신이 되어라. 다른 사람의 자리는 모두 찼다."

성공의 비밀,
신발 정리

신神은 디테일 속에 있다.
미스 반 데어 로에

명리풍수, 사주 등 우리 전통의 '강호철학'을 연구하는 조용헌 선생이 어느 날 『맹자』의 대가인 하금곡 선생을 만나 '운이란 무엇인가' 그리고 '대운大運을 받으려면 어떻게 해야 하는가'에 관한 대화를 나누었다.

금곡 선생은 대운을 받으려면 네 가지 조건이 필요하다고 말했다. 누구나 인생에서 두세 번의 대운이 찾아오는데 얼마나 잘 준비했느냐에 따라서 받을 수 있는 운의 크기가 달라진다는 것이다.

1) 말이 적어야 한다.

2) 수식어가 적어야 한다.

3) 찰색察色, 즉 얼굴 색깔이 좋아야 한다.

4) 신발을 가지런히 놓아야 한다.[17]

1번과 2번은 이해할 수 있다. "침묵은 금이다" "귀는 두 개고 입은 하나이다" "귀는 닫을 수 없지만 입은 닫을 수 있다" 등등, 성공하려면 말을 많이 하지 말아야 한다는 조언은 아주 많이 들어왔다. 더구나 말에 수식어가 많으면 불필요한 오해를 사거나 구설수에 오르기 쉽다. 3번, 얼굴 색깔도 납득이 된다. 얼굴 색깔이 좋다는 것은 몸이 건강하고 마음을 너그럽게 유지해왔다는 의미다. 당연히 대운을 받기 위해 필요한 조건일 것이다.

그런데 4번은 납득이 조금 안 된다. 지금 대운, 즉 '커다란' 운을 받는 순간인데, 신발을 가지런히 놓아야 한다니, 너무 쫀쫀하지 않은가! 꿈을 크게 가지라든지, 어려운 사람들에게 적선을 자주 하라든지, 좋은 스승을 만나 크게 배우라든지, 뭐 그런 중요한 일을 다 제쳐놓고, 신발 정리를 잘하라니!

큰아이가 대학에 간 이후에는 생활에 크게 간섭하지 않는다. 이제 본인도 성인인데 내가 뭐란다고 말을 들을 나이도 아니다. 하지만 내가 아들에게 요구하는 것이 딱 한 가지 있다.

물론 잔소리하고 싶은 건 한두 가지가 아니다. 공부 열심히 하고, 일간신문 꼬박꼬박 읽고, 아침 일찍 일어나고, 집에 일찍 들어오고, 술 너무 많이 먹지 말고, 담배 절대 피우지 말고, 운동 열심히 하고, 악기도 꾸준히 연습하고, 기타 등등…… 하지만 나는 딱 한 가지만 요구하기로 했다. 자기 방 정리.

내가 다른 모든 것에 앞서 방 정리가 중요하다고 생각하는 것은, 금곡 선생의 '신발 정리'와 같은 맥락이다. '작은 일부터 스스로를 거두는 마음'이 모든 성공의 요체라고 믿기 때문이다. 선생의 표현대로 하면 수신修身의 힘이다. "신발 벗어놓는 상태를 보면 그 사람의 평소 마음가짐이나 수신 상태를 파악할 수 있다. 신발이 어지럽게 놓여 있으면 기본이 되어 있지 않은 것이고, 기본이 되어 있지 않으면 다가오는 대운을 받지 못한다."[18] 맞다! 돌이켜 생각해보면, 방이 깨끗해지던 바로 그 무렵부터, 내가 고시폐인에서 대학원의 모범생으로 변신하기 시작했던 것 같다.

어느 날 신문에서 매우 재미있는 기사를 봤다. 유명 글로벌 브랜드들이 장악하고 있는 국내 피자 시장에서 점포수 기준 1위를 차지하고 있는 '미스터피자' 정우현 사장의 경영철학에 관한 얘기였다.

"우리 사훈社訓은 '신발을 정리하자'입니다. 허식이 아닌 겸손, 진심과 정성. 이것이 초일류의 실천이라고 저는 믿습니다."[19]

조금 허탈하기까지 했다. 400개가 넘는 국내 매장을 운영하고, 중국·미국·베트남에까지 진출하며 승승장구하고 있는 비결이 품질 제일, 고객 제일 같은 멋진 구호가 아니라, 고작 "신발을 정리하자"였던 것이다. 미스터피자가 2008년 업계 1위를 한 뒤 사내공모를 통해 정해졌다는 이 사훈이 조용헌 선생에게 영향을 받은 것인지는 알 길이 없으나, 큰 성공의 비밀이 역시 아주 작은 데 있다는 점은 분명하다.

중국학자 왕중추가 쓴 『디테일의 힘』이라는 책이 화제가 된 적이 있다. 결국 경쟁력의 관건이 되는 것은 작고 사소한 디테일이라는 것이다. 크고 장대한 것을 좋아하고 미세한 디테일은 하찮게 여기는 중국인들을 각성시키려는 책이었다지만, 이는 인생에도 적용할 수 있다. '100−1＝0', 100에서 1을 빼면 99가 아니라 0이라는 것이다. 큰일을 망치는 것은 엄청난 실수가 아니라 아주 작은 흠집이다. 같은 논리로, 엄청난 성공을 이루는 것은 필생의 '한 방'이 아니라 작은 디테일의 총합이다.

그래서 나는 아들에게 틈만 나면 방 좀 치우라고 이야기하지만, 그의 방은 대체로 어지러울 때가 더 많다. 불만이 없는 것은 아니지만 나는 이해한다. 자기 방을 깨끗이 유지한다는 것은 실은 어마어마하게 어려운 일이다. 얼마나 어려우냐면, 그것이 '성공의 첫째 비밀'일 만큼 어렵다. 그것이 쉽다면 누군들 못하겠는가?

젊은 알 파치노가 강렬한 연기를 펼쳤던 영화 〈Any Given Sunday〉에 이런 대사가 나온다.

"풋볼이란 1인치의 게임이다. 실은 인생도 그렇다. 그 1인치는 도처에 널려 있고 그것들이 모여 승패와 생사를 좌우한다. 어떤 종류의 싸움이건 죽을 각오가 된 자만이 1인치를 찾아낸다. 내 소원은 그 1인치를 찾다 죽는 것이고, 그게 인생이다."

그대의 방과 신발은 어떠한가? 이것은 청결이나 정리정돈의 문제가 아니다. 자기가 머문 자리를 돌아볼 수 있는 삶의 방식과 실천의 문제다. 인생의 승패를 좌우하는 1인치, 그 작은 차이를 만들어내는 세심함과 집요함의 상징이기도 하다.

고독은
나의 힘

그대의 고독 속으로 달아나라!
그대는 하찮고 가련한 것들과
너무 가까이서 살아왔다.
니체, 『차라투스트라는 이렇게 말했다』

내 지도로 석사학위를 받고 취직한 지 얼마 안 되는 제자가 학교로 찾아왔다. 보통 졸업하고 몇 년은 지나야 찾아오는데, 이 친구는 굉장히 빨리 찾아온 셈이다. 이유를 물으니 '사람들이 너무 보고 싶어서'란다. 연구실의 선후배도 만나고 내게 인사도 하려고 월차까지 내고 왔다니, 회사에는 '사람'이 없었을까. 직장생활이 어떠냐고 물으니 뜻밖의 대답이 돌아온다.

"외로워요."

이상하지 않은가? 좁디좁은 연구실에서 고작 몇십 명 대학원생끼리 복닥복닥 지지고 볶다가, 수천 명의 사원이 함께 일하는 회사로 자리를 옮겼는데, 외롭다니. 대답인즉슨 그래서 더 외롭단다. 처음 만나는 사람의 홍수 속에서 누구와 사귀어야 할지, 누구를 믿어야 할지 판단은 쉽지 않고, '아삽'(ASAP, as soon as possible의 약자로 '되도록 빨리'라는 의미)으로 쏟아지는 일에 치여 친구들의 문자를 '씹기' 일쑤고…… 그러다보니 친했던 친구들은 점점 연락하기 힘들고 또 멀어지고……

그 심정, 알 것 같다. 나도 사회생활을 오래할수록 점점 더 많은 사람들과 만나지만, 퇴근길 뉘엿뉘엿 지는 해를 보고 있자면 근원을 알 수 없는 외로움이 복받칠 때가 있다. 나이 들수록 외로움의 빈도와 깊이가 심상치 않다. 이 외로움이란 놈은 먹성 좋은 돼지의 기갈 같은 것이어서 조금만 달래주기를 게을리하면 시도 때도 없이 스멀스멀 기어나와 공허하지 않느냐고 관심을 구걸한다. 어쩌면 외로움이란 타인과의 관계 단절에서 오는 것이 아니라, 텅 빈 내면을 돌아보라는 영혼의 경고인지도 모른다.

고독은 어른의 불치병이다. 원래 고孤는 어려서 부모가 없는 것이고, 독獨은 늙어서 자식이 없는 것이라는데, 이 두 글자를 합치면 어른이 되어 삶의 무게를 나눌 상대가 없다는 의미가 된다. 존재란 홀로 태어나 홀로 죽는 것이니 사실 고독은 어른이 아니라 인간의 본질이리라.

다들 학교를 졸업하고 나면 너무 바쁘다고 말한다. 그래서 '내 시간'이 부족하다고 불평한다. 하지만 불편한 진실은…… 우리는 '혼자만의 시간'을 두려워한다는 것이다. 그래서 스스로를 만나야 할 절대고독의 시간을 누군가 만나 무언가 함께 하는 시간으로 빈틈없이 꽉꽉 채운다. 그렇게 일상은 외로움을 면해보려는 몸부림으로 채워지고, 여가시간엔 고독하지 않은 척 스스로를 속인다. 일, SNS, 게임, 쇼핑, 자녀…… 사람들이 무엇에건 몰두하지 않고는 견딜 수 없는 것도 바로 외로움 때문이 아닐까?

하지만 바쁠수록 명심해야 한다. 성찰과 성장은 혼자 있을 때 싹튼다. 중요한 것은 고독을 대면할 수 있는 용기다. 외로움을 속이지 않는 것이다.

파울로 코엘료는 산문집 『흐르는 강물처럼』에서 이렇게 말했다.
"연필에서 가장 중요한 건 외피를 감싼 나무가 아니라 그 안에 든 심이라는 거야. 그러니 늘 네 마음속에서 어떤 일이 일어나고 있는지 그 소리에 귀를 기울이렴."

마음에 귀를 기울일 수 있는 시간은 절대고독의 시간이다. 홀로 스스로를 대면하는 시간, 오직 그 시간만이 나를 성장시키고 성찰하게 한다.

　고독이 나를 성장하게 한다는 사실을 알면서도 혼자 있지 못하는 것은 단절에 대한 두려움 때문이다. 다른 사람의 인정과 도움 없이는, 자신의 존재를 단단하고 올곧게 세울 수 없다고 지레짐작하기 때문이다. 고독을 성장의 동력으로 삼으려면 먼저 자신에 대한 꼿꼿한 믿음이 필요하다. 그 믿음이 단절의 두려움을 이긴다.
　고독은 힘의 샘이다. 당신의 외로움을 사랑하라.

직선의 슬픔

직선直線의 수학적 정의를 아는가? '두 점 사이의 최단거리를 이은 선'이다. 학창 시절에 이 정의를 접하고 내심 놀랐다. 직선, 하면 떠오르는 '똑바른' 혹은 '곧게 뻗은' 같은 일반적 속성으로 설명하는 것이 아니라, '최단거리'라는 사뭇 건조한 용어로 정의하는 것이 신기했기 때문이다.

두 점 사이의 최단거리…… 그래서 두 점 사이의 직선은 오직 하나만 존재한다. 그게 기하학의 공리란다. 생각하면 좀 서글프다. 직선의 삶에는, 저기까지 가는 데 딱 하나의 길밖에 없다는 것이다, 그것도 한 치의 어긋남 없는 최단거리로.

갑자기 직선이 슬프다. 직선에서 나 자신이 느껴져서인지도 모르겠다.

◌

나는 시간의 효율을 중시하는 편이다.

예를 들면 이런 식이다. 예전에 연구실이 있던 건물에서는 화장실이 멀리 떨어져 있었다. 그 화장실 옆이 학과사무실이었는데 화장실에 다녀올 때마다 들러서 우편물이라도 챙겨왔다. 그러다 언젠가부터 우편물이 도착하는 11시와 4시까지 화장실 가는 것을 참게 됐다. 그냥 화장실 '만' 다녀오는 시간이 아까웠던 것이다.

한번은 화장실이 급해 안절부절못하면서도, 우편물 도착시간만 기다리는 나를 발견하고 "왜 이렇게 사니, 쯧쯧……" 하고 스스로를 나무란 적도 있다. 하지만 그 버릇은 학과사무실과 내 방이 각각 새 건물 1층과 4층으로 이사 갈 때까지 계속됐다. 이제는 우편물을 가지러 갈 때마다 1층 갈 일을 만든다. 그냥 우편물 '만' 가지고 오는 시간이 아까워서.

동네 목욕탕에 갈 때, 꼭 시집 한 권을 들고 간다. 욕탕에 가만히 앉아 있는 시간은 심심하다. 혈압이 높아서 사우나는 하지 못하고 온탕에 몸을 담근 채 한 5분 몸을 덥히는데, 그 시간에 그냥 눈만 멀뚱멀뚱 뜨고 있으니 책을 읽는다. 짧게 끊어 읽을 수 있고 크기도 작아서 시집이 딱 좋다. 물속에서 읽는 바람에 책이 자주 젖는다. 그래서 내 시집들은 전부 물에 불은 흔적이 있다.

영혼을 다해서 언어를 조탁한 시인들께 조금 미안하다. 그러나 어쩌면 정말 미안해야 하는 것은, 탕 속에서의 5분조차 맘 편히 휴식을 주지 못하는 내 몸뚱이인지도 모르겠다.

술을 좋아하는 편이지만, 나이 들수록 다음날 숙취가 오래가서 고민이다. 사람들은 대부분 금요일 밤이나 주말에 맘껏 마시는데, 나는 반대다. 다음날 일이 없으면 가장 좋은 컨디션에서 글을 써야 하므로 금주다. 술은 주로 회의나 세미나 등 일정이 많은 날의 전날 밤에 마신다. 아무리 숙취에 절어 있어도 행사는 흘러가므로, 몸으로 버티면 되기 때문이다. 어느 회의에선가, 술이 덜 깬 벌건 얼굴로 아침부터 꾸벅꾸벅 졸다가 '참, 왜 이렇게 사나?' 하는 생각에 스스로가 미워진 적도 있다.

헬스클럽에서 중량운동을 할 때 한 세트를 들고 나면 1~2분 정도를 쉬어주는 것이 좋다고 한다. 그런데 나는 그 시간이 아까워서 상체운동을 하고 나면 바로 하체운동을 시작한다. 하체운동 한 세트 하는 데 1~2분 걸리니까 상체 입장에서는 쉬는 시간일 거라는 생각에서다. 그렇게 쉬지 않고 상하체운동을 교대로 하고 나면 운동시간을 절반으로 줄일 수 있다.

한번은 그렇게 운동하다가 결국 부상을 입었다. 트레이너가 알면 기막혀할 노릇이다. 하지만 아무 일도 하지 않고 1분을 보내는 것을 견딜 수가 없어서, 지금도 그런 식으로 운동한다. 아픔을 겪고도 고치지 못하니, 내 '효율 강박'도 중증 아닌가.

2012년, 대망의 안식년을 맞았다. 수업도, 보직도, 회의도 없다. 외부강연과 프로젝트를 최소화하고 책 쓰는 데 전념하기로 했다. 연말에 꼭 출간되어야 할『트렌드 코리아 2013』과 마감을 1년째 넘기고 있는『트렌드 차이나』의 집필을 본격화하고, 지금 당신이 보고 있는 이 책의 원고도 틈틈이 쓰기로 했다.

비교적 정신이 맑은 아침에 에세이를 쓰다가 막히면『트렌드 차이나』관련 자료를 훑어보고, 다시 지겨워지면『트렌드 코리아』서두 부분을 집필하는 식이다. 이도 저도 다 막히면 새로 폴더를 만든다. 언젠가는 쓰리라 마음먹은 책들,『글쓰기 강의』『트렌드 읽는 법』『트렌드에 맞는 히트상품 개발방법론』『트렌드 포스트 차이나』『중년을 위한 에세이』『노년을 위한 에세이』『청소년을 위한 에세이』…… 상하체 교대로 쉬지 않고 운동하듯 글을 썼다. 마치 '글쓰는 기계'가 된 느낌이었다.

꽃샘추위가 극성을 부리던 때까지만 해도 견딜 만했다. 창밖 우면산에서 꽃과 신록이 서로 다투기 시작할 즈음, 드디어 탈이 났다. 완전히 탈진한 것이다. 영어로 탈진을 burn-out, '불에 타서 없어지다'라고 표현하는데, 내가 꼭 그 꼴이었다. 겨우 호전됐던 디스크가 의자에 계속 앉아 있었더니 재발했다. 사람들은 가벼운 옷을 입고 거리를 활보하는데, 나는 겨울 잠옷을 입은 채 진통제도 듣지 않는 몸살을 앓았다. 침대에 누워 있을 때, 가장 힘든 것은 육체적 고통이 아니라 마음의 부채였다. '안식년 가기 전에 한 글자라도 더 써야 하는데……'

한순간이었다, 마음을 바꾼 것은.
'책이 한두 달 늦게 나온들, 혹은 영원히 나오지 않은들, 뭐 그리 큰 문제랴.'
'이러다 탈나서 아예 글을 못 쓰는 상황이 오면, 나에게도 독자들에게도 훨씬 더 손해다.'
몸살에서 헤어나 몸을 일으키고서, 나는 시간의 돌려막기를 중단했다. 주로 에세이에 집중하며 글이 막히면 산책을 하고 주말에는 아내와 영화도 보러 갔다. 『트렌드 코리아 2013』은 가을에, 『트렌드 차이나』는 겨울에 때가 되면 쓰기로 유예하고 다른 책들은 일단 과감히 폴더를 닫았다.
그러고 나서 쓰기 시작한 에세이들이 훨씬 마음에 든다. 글은 쓰는 것이 힘든 게 아니라 마음에 들 때까지 고치는 것이 더 고통스러운데, 초고가 좋으면 결국 완성될 때까지 시간과 노력이 덜 든다. 좀더 여유를 갖는 편이 오히려 효율적인 방법이라는 것을 스스로 증명한 것이다. 여전히 효율의 패러다임에서 나오지 못한 논리이지만, 나 같은 중증환자에게 여유의 장점을 증명하려면 하는 수 없다.

이 봄, 나는 아픔 끝에 또하나의 깨달음을 얻었다. 삶의 여백은 그 값어치를 한다는 사실을, 스스로에게 조금 너그러워도 괜찮다는 사실을.

❧

요즘 많은 사람이 행복을 이야기한다. 사실 대한민국 국민에게 행복은 화두가 아니었다. '성공'이 중요했다. 일단 성공하면 행복해진다고 믿고, 성공을 위해 한눈팔지 않고 줄기차게 뛰어왔던 것이다. 이제 그 믿음에 금이 가고 있다. 많이 이룬다는 것이 곧 행복을 보장하는 길은 아니라는 당연한 사실을 뒤늦게 사람들이 깨닫고 있다.

행복은 무조건 많이 성취할수록 커지는 것이 아니라, 기대에 비해 얼마나 성취했느냐가 더 중요하다. 공식으로 표현하자면 '행복

=성취/기대'다. 이 공식에 의하면 행복해지려면 두 가지가 필요하다. 공식의 분자에 해당하는 '성취'를 크게 하고, 또 분모에 해당하는 '기대'를 작게 하는 일이다.

맛있는 음식을 먹을 때, 멋진 가방을 살 때, 승진했을 때, 시험점수를 잘 받았을 때, 운동에서 상대를 이겼을 때, 우리는 행복감을 느낀다. 도파민이라는 호르몬이 나오기 때문이란다. 도파민은 우리가 무엇인가를 '성취'했을 때 분비되는 호르몬으로, 즐거움과 쾌감을 결정한다. 바로 행복공식의 분자가 커질 때 나오는 호르몬이다.

그동안 우리는 도파민적 삶$^{Dopamine-driven-life}$, 즉 성취에 기반을 둔 행복만을 좇아왔다. 전후戰後 모든 것을 상실한 상황에서 선진국을 따라잡을 수 있는 유일한 방법은 오직 부지런히 공장을 짓고 일자리를 만들고 열심히 성과를 내는 방법밖에 없었다. 개인이 살아가는 방식도 이와 별반 다르지 않다. 경쟁에서 이기고 남보다 빨리 승진하고 더 많은 연봉을 받기 위해 쉬지 않고 앞만 보며 달려왔다.

도파민의 문제점은 한번 반응한 자극에는 더이상 분비되지 않는다는 것이다. 새로 산 물건이 주는 기쁨이 그다지 오래가지 않고 금세 사라지는 이유다. 그래서 도파민으로 행복하려면, 좀더 큰 성취가 '계속적으로' 이루어져야 한다. 어느 순간 만족에 중독되어

점점 더 강한 자극, 더 큰 기쁨을 맛보지 않고서는 행복하다는 사실조차 자각하지 못하는 상태에 이른다.

반면 마음이 편안할 때, 명상할 때, 숲속을 걸을 때, 햇볕을 쬘 때, 다른 사람을 도울 때 느끼는 나른한 행복이 있다. 세로토닌이라는 호르몬이 이때 나온다. 우리가 꾸준히 행복하려면 도파민만으로는 부족하며 세로토닌이 필요하다. 더 많이 성취하고 더 많은 물질을 갖기보다는, 내가 가진 것에 만족하고 감사하는 마음가짐이 필요하다. 이른바 세로토닌적 삶Serotonin-driven-life이다.[20]

행복하려면 도파민과 세로토닌의 조화가 중요하다. 감사 없는 성취는 고단하고, 성취 없는 감사는 무력하다. 성취의 열망과 감사의 수긋함 사이에서 얼마나 균형을 잘 맞출 수 있느냐에, 우리의 행복이 달려 있다.

신영복 선생은 "일껏 붓을 가누어 조신해 그은 획이 그만 비뚤어버린 때, 그 부근의 다른 획의 위치나 모양을 바꾸어서 그 실패를 구하려 합니다"라고 했다. 이런 보완이 가능한 것은 선생의 말씀대로 획의 성패란 혼자 곧은 것이 아니라 획과 획 사이의 관계에 달려 있기 때문이다. 꼭 자로 그은 듯한 직선이 아니면 어떤가? "여러 가지 형태로 서로가 서로를 의지하고 양보하며 실수와 결함을 감싸"[21]줄 수 있다면 여전히 아름다운 것을.

　조금 둥글게, 비뚜로, 때로 쉬어가며 소주 한잔으로 위로하고 또 구원받으며 천천히 나아가는 곡선의 기쁨. 더러 실수가 나와도 팽개치지 않고 잘못끼리 서로 돕고 감싸주며 간신히 아름다움을 얻어낼 수 있는 손글씨의 보람. 이 땅의 많은 '직선'들이 배워야 할 흔들림의 미덕이다.

　삐뚤빼뚤 돌아가도 괜찮다. 속도를 줄여도 괜찮다. 성취가 있으면 침잠도 있어야 한다. 완벽하지 않아도, 빠르지 않아도 괜찮다. 성실에 조화된 여백은 삶의 보물이다.

이 봄, 나는 아픔 끝에 또하나의 깨달음을 얻었다.
삶의 여백은 그 값어치를 한다는 사실을,
스스로에게 조금 너그러워도 괜찮다는 사실을.
성실에 조화된 여백은 삶의 보물이다.

제3부

만나라, 사랑하라,
그리고 살아가라

결혼의 조건

사람들은 늘 '어떤 배우자를 만나게 될까'에 대해 고심하지만,
오히려 '나는 어떻게 사랑하는 사람인가'가 훨씬 중요한 문제예요.
누군가 추한 사랑을 하고 있다면 그가 추한 사람이기 때문이에요.
복잡한 사랑을 하고 있다면, 그가 엉켜 있는 사람이기 때문이지요.
오소희, 『사랑바보』

인생에서 가장 중요한 갈림길 중 하나가 결혼이다. 결혼을 할 것인가 말 것인가, 결혼한다면 언제 할 것인가, 그리고 누구와 결혼할 것인가. 이 선택을 어떻게 하느냐에 따라 인생은 크게 달라진다. 결혼을 고민한다는 건, 어른이 되어간다는 뜻이다. 모든 어른이 다 결혼하는 것은 아니지만, 결혼을 하면 어른 행세를 해야 하니까. 원하든 원치 않든 간에.

결혼은 가치관의 문제다. 매우 개인적이고 주관적인 선택이어서, 누가 이래라저래라 할 수 있는 게 아니다. 그럼에도 우리가 결혼하기 전에 고민해야 할 이슈들에 대해 이야기해보고자 한다. 물

론 이것 역시 나의 개인적이고 주관적인 생각일 뿐이지만.

결혼, 할 것인가 말 것인가

결혼은 딜레마다. 소크라테스마저 "결혼은 해도 후회, 안 해도 후회"라고 말했다. 법원 주차장은 주말에는 강당에서 열리는 결혼식 하객들로 만원이다가, 주중에는 이혼서류를 접수하려는 민원인으로 붐빈다. 처녀총각들이 즐겨 보는 드라마는 결혼에 골인하기까지의 과정을 그리는 반면, 아줌마 아저씨가 즐겨 보는 드라마는 혼외관계가 단골 소재다.

정말이지 몽테뉴 말대로 결혼이란 "새장과 같아서 밖에 있는 새는 안으로 들어가고 싶어하고, 안에 있는 새는 밖으로 나오고 싶어하는" 것인지도 모른다.

요즘 결혼이 '당연히 해야 하는 그 무엇'에서 '할 수도 있는 하나의 선택'으로 변하고 있다. 특히 젊은 여성들의 생각이 빠르게 바뀌고 있다. 예전에는 여학생들로부터 "어떤 사람과 결혼해야 할까요?"라는 질문을 주로 받았는데, 요즘에는 "결혼을 꼭 해야 하나요?"라는 질문을 자주 받는다.

사실 대답하기 매우 어려운 질문이다. 앞서 말했듯이 결혼이란 매우 개인적인 선택이어서 다른 사람이 왈가왈부할 문제가 아니다. 그때마다 즐겨 하는 대답이 있다. 작곡가 브람스가 했다는 유명한 그 한마디.

"자유로우나 고독하다Frei aber einsam."

브람스는 평생 독신으로 살았다. 그가 독신의 소감을 이렇게 말했다고 한다, 자유로웠지만 고독했다고. 나도 이 말을 인용해 질문에 답한다. "미혼으로 살면 자유롭기는 하겠지만, 고독할 거야. 자유를 만끽할지 고독을 위로받을지 선택해!"

여기서 자유와 고독의 의미를 좀더 분명히 하자. 결혼이란 아주 냉엄한 현실이어서, 지금 말하는 자유나 고독이, 청춘들이 즐겨 쓰는 낭만적인 개념과는 거리가 멀기 때문이다.

사실 일부일처제하의 결혼이란 개인에게 무척 잔인한 제도다. 왜 잔인한 제도라고 말하는가. 알랭 드 보통의 소설 『사랑의 기초』에는 이런 대목이 나온다.

"맹세합니다. 당신에게, 오직 당신에게만 실망할 것을 맹세합니다. 내 후회의 유일한 대상이 '당신'일 것을 맹세합니다. 당신만 아니었더라면 평생 수없이 바람을 피웠을 거라는 후회의 본보기일 것을 맹세합니다. 지금까지 나는 선택할 수 있는 여러 종류의 불행들을 탐구해보았습니다. 그리고 마침내 이 한몸 바쳐 희생하기로 선택한 사람이 바로 당신입니다."

결혼식에서 신혼부부가 서로에게 하는 서약은 이처럼 관대하고 공손하며 낭만적이지 않은 서약이어야 마땅하다.[22]

'후회'와 '실망'은 환상이나 기대를 품은 대상에게서만 느낄 수 있는 감정이다. 결혼하면 다른 이성에게 사랑에 관한 어떤 환상도 기대도 품어선 안 된다. 다른 사람에 대한 연애감정은 종신형을 선고받고 마음의 깊은 감옥으로 들어간다. 어떤 면에서 결혼은 인간의 감정에 대한 엄청난 독재다.

어디 연애감정뿐이랴. 생활과 시간과 재산, 그리고 나머지 모든 것을 배우자와 공유해야 한다. 결혼하고 나서도 미혼 시절의 자유를 누리고자 하면, 부도덕, 무책임이라는 비난의 주홍글씨를 감수해야 한다. 결혼이 내놓으라는 '자유'란, 실은 개인의 거의 모든 것이다.

'고독'도 잔인하기는 마찬가지다. 비혼非婚의 고독이란 어느 가을날 찬바람이 외투 깃을 스칠 때 홀연히 느끼는, 그런 우아한 고독이 아니다. 넓고 거친 이 세상에 철저히 홀로 남겨졌다는 먹먹함으로 뼛속까지 저리는 고독이다. 명절이나 생일날 누구도 나를 찾지 않는다는 공포, 혹은 늙고 병들었을 때 돌봐주는 이 없이 침대에서 혼자 죽어갈 것이라는 공포를 동반하는 절대고독이다.

결국 결혼을 할지 말지는 그 처절한 고독을 감수하고라도 누려야 할 자유를 고를 것인가, 평생의 자유를 대가로 치르고 고독을 다소 구원받을 것인가 하는 선택의 문제다. 사람마다, 시대마다 자유와 고독의 무게가 다를 것이다. 요즘 비혼자가 많아지는 것은 그 고독을 견딜 만한 사회적 자원이나 소통의 수단이 많아졌기 때문인지도 모른다.

어쨌든 각자가 자기에게 주어진 여건 속에서 자유와 고독의 질량을 마음의 저울에 달아보고 나서 결혼에 대한 의사결정을 하는 것이라고 나는 생각한다. 누군가의 한마디가 씁쓸하다.

"결혼생활에는 많은 고통이 따른다. 하지만 독신생활에는 즐거움이 없다."

결혼, 언제 할 것인가

비혼자가 많아졌다고는 하지만, 사실 내 주변에서 완고한 독신주의자를 실제로 만난 적은 별로 없다. 늦게까지 독신으로 지내는 이들도 "좋은 사람 생기면 해야죠" 혹은 "아직은 자신이 없어서요"라고 얘기하는 경우가 훨씬 더 많다.

그래서 결혼을 '할 것인가, 말 것인가'의 선택보다 중요한 것은 '언제쯤 하겠다'고 마음의 결정을 내리는 것이다. 사실 좋은 사람이 나타났을 때 결혼을 결심하는 경우보다, 결혼을 결심했을 때 나타난 좋은 사람과 결혼하는 경우가 더 많다. 우리는 가장 사랑하는 사람과 결혼하는 것이 아니라, 결혼할 수 있을 때 가장 사랑하는 사람과 결혼한다.

요즘 많은 젊은이들이 되도록 결혼을 미루는 것 같다. 물론 최근에는 청년실업 문제가 심각하고 경제 상황도 열악해서 어쩔 수 없이 결혼을 미뤄야만 하는 경우도 많다. 국가적인 문제다. 서로 사랑하는 젊은이들이 결혼을 미룰 수밖에 없게 만드는 사회는 결코 희망을 만들지 못한다. 그러나 여기에서는 자발적인 선택으로 결혼의 시기를 늦추는 경우로만 이야기의 초점을 맞춰보려 한다.

요즘 결혼들 참 늦게 한다. 여간한 확신이 드는 게 아니면 결혼은 일단 미룬다. 굳이 해석하자면, 시대정신이 개인의 가치를 더 비중 있게 여기는 방향으로 변하면서, '고독하더라도 자유롭기를 원하는' 젊은이가 많아진 것 같다. 미혼의 자유를 가능한 한 오래 누리고 싶어한다. 굳이 결혼을 안 하겠다는 것은 아니지만, 그렇다고 결혼이라는 속박에 서둘러 매일 생각도 없다는 것이다. 이러한 계산도 틀린 건 아니지만, 한 가지 고려해야 할 것이 있다. 지금 누리는 미혼의 자유가 필연적으로 나중에 누릴 장년의 자유를 대가로 요구한다는 점이다.

내 친구 하나가 결혼을 참 일찍 했다. 당시 남자는 30세 전후, 여자는 25세 전후에 결혼하는 것이 적령기로 인식되던 때였다. 그런데 이 친구는 동갑내기인 여자친구와 대학을 졸업하자마자 스물다섯에 결혼했다. 그러고는 바로 연년생 아들 둘을 얻었다.

당시 대다수가 총각이었던 우리는 이 친구를 부러워하기보다는 측은하게 생각했다. 우리가 늦게까지 술 마시고 놀 때 친구는 애를 본다고 일찍 들어갔다. 휴가 때 친구들끼리 여행을 떠나기는커녕 휴일에 야구장조차 나오지 못했다. 우리는 "왜 그렇게 일찍 인생을 포기했느냐?"고 놀렸다.

40대가 지난 지금, 모두들 이 친구를 가장 부러워한다. 다들 아이들 교육 문제로 전전긍긍하고 있는데, 이들 부부만 일찌감치 두 아들을 대학에 보내놓고 훨훨 여행 다닌다.

요즘엔 이 친구가 우리를 놀린다. 아직도 애들 타령이냐고, 전 세계를 여행하다보니 인생에 새로운 눈을 뜨게 됐다고 말이다. 나만 해도 애들 학원 때문에 해수욕장에도 마음 놓고 다녀오지 못한 지 몇 년째다. 앞으로 적어도 4년 남았다.

굳이 이 친구 얘기를 하는 것은 빨리 결혼해서 노년을 즐기라고 충고하고 싶어서가 아니다. 인생을 설계할 때 코앞에 닥친 걱정만 하지 말고 전 생애적 관점에서 생각하자는 것이다. 돌아보면 젊었을 때의 나는 코앞밖에 보지 못했다. 사람들은 자기 연령대의 가치를 지나치게 높게 평가하는 경향이 있다. 낭만적인 미혼과 우아한 황혼을 같은 잣대로 비교할 수 있는, 삶에 대한 긴 안목이 나에게는 없었다.

많은 미혼자들이 남성의 경우엔 경제적 사회적 준비가 덜 갖추어졌다는 이유로, 여성은 과중한 직장생활과 육아 등 가정생활을 병행할 자신이 없다는 이유로, 결혼을 미루려고 한다. 그러나 이들에게 경험자로서 한 가지 충고하고 싶은 것은, 그렇게 준비나 자신감이 확실해지는 시점이란 영원히 없다는 사실이다.

회사에 할 일이 잔뜩 밀려 있는데 친구들이 여행일정을 잡으면 무척 부담스럽다. 이번에는 빠졌으면 좋겠는데, "같이 안 가면 죽음!"이라는 친구들의 협박에 출발 직전까지 무리를 거듭해서 겨우 함께 떠난다. 어떻게든 출발해서 차창 밖으로 흔들리는 풍경을 볼 때, 그제야 '그래도 떠나오기를 잘했다'는 생각이 든다. 결혼이 그런 것 같다. 준비도 자신도 없지만 일단 함께 출발하고 나면, '그래도 하길 잘했다'는 생각이 드는 것이다.

우리 할머니께서, 누군가 결혼을 주저하는 모습을 볼 때마다 "애 낳는 것 연습해보고 시집가는 여자 없다"고 하시던 말씀이 기억난다. 마음먹었거든, 실행하라.

결혼, 어떤 사람과 할 것인가

사실 자유니 고독이니 거창하게 이야기하지 않아도, 결혼이 늦어지는 가장 중요한 이유는 '이 사람이다!' 싶은 사람이 아직 나타나지 않았기 때문일 것이다. 혹은 만나는 사람이 있더라도 '과연 이 사람과 결혼해도 좋은가?'에 대한 확신이 부족하기 때문일 것이다. 그러므로 결혼을 하느냐 마느냐, 혹은 언제 하느냐의 선택은 독립적인 결단의 문제가 아니라, '누구와 결혼할 것인가?'라는 의사결정이 유예된 결과라고 볼 수 있다.

그러므로 결혼에 관한 한, 뭐니뭐니해도 '어떤 사람과 할 것인가'가 가장 중요한 문제다. 모든 선택에서 중요한 것은 '기준'이다. 아무리 신중하게 고민하더라도 잘못된 기준으로 선택하면 그 결과가 좋을 리 없다. 그러면 결혼에서 가장 중요한 기준은 무엇일까?

우리가 배우자를 결정할 때 고려하는 요소는 정말 많다. 나이, 건강, 키, 외모, 재산, 지위, 직업, 장래성, 성격 기타 등등…… 배우자가 될 사람뿐만 아니라 그의 가족과 집안도 감안한다. 상대방 부모의 생존 여부나 성정, 형제자매 관계, 그리고 지위나 출신지역까지…… 이 다양한 기준 중에서 사람들이 가장 많이 얘기하는 것을 든다면 아마 이 세 가지일 것이다.

외모, 돈, 성품.

외모는 남자들이 특히 중요하게 생각하는 기준이다. 요즘엔 여자들도 남자의 외모를 많이 본다. 하지만 어찌 남자들만 하랴! "용모를 보고 신부를 고르는 것은 페인트 색깔을 보고 집을 고르는 것이다"라는 말이 있을 만큼, 총각들에게 외모는 중요하지 않다고 기혼 선배들이 아무리 충고를 해도 다 부질없는 소리다. 나도 남자지만, 남자들 정말 예쁜 여자 좋아한다.

최근 관심을 끄는 진화심리학에서는 우리가 이성의 외모에 매혹되는 것이 우수한 유전자를 지닌 배우자를 찾아내기 위한 진화의 산물이라고 말한다. 하지만 우리는 사바나 초원의 원숭이가 아니다. 후손을 본 이후에도 배우자와 함께 수십 년을 더 살아간다. 설령 진화심리학의 '본능설'이 맞더라도, 배우자의 외모는 행복한 결혼생활에 전혀 보탬이 되지 않는다. 이혼하려는 부부가 "그래도 잘생긴 것 하나 보고 참는다"고 말하는 것, 본 적 있는가? 배우자를 선택할 때 외모라는 기준이 잠재적이건 명시적이건 영향을 덜 미칠수록 결정은 현명해진다고 생각한다.

연봉이나 재산도 보지 않을 수 없다. 돈은 자본주의 사회를 살아가는 데 필수적인 요소다. 옛말에도 "가난이 문을 열고 들어오면 행복은 창을 열고 도망간다"고 했다. 요즘 행복에 관한 실증적인 연구가 부쩍 늘었는데, 많은 학자들이 행복의 중요한 조건으로 경제력을 든다. 하지만 소득은 일정 수준이 넘으면 더이상 행복을 증진시키지 못한다. 우리가 결혼하는 이유는 빈곤에서 벗어나기 위해서가 아니라 행복해지기 위해서다. 그러므로 재산만 보고 하는 결혼은 위험하다.

실제로도 '부'가 중요한 동기로 작용한 결혼이 아름답지 못하게 끝나는 경우를 많이 보았다. 사실 재산이란 게 젊은 신랑 신부 당사자의 것이라기보다는 그 부모의 소유인 경우가 많은데다, 부잣집에서 오냐오냐 자란 친구들이 결혼생활의 기본을 지키지 못하는 경우가 많기 때문이다. 어느 결혼정보회사 임원의 인터뷰를 보니, 돈, 집안배경, 띠동갑, 용모 등의 조건을 먼저 내세운 커플들의 이혼율이 높단다. 조건만 고려하다보면 서로 밑지지 않으려는 선택을 하게 마련인데, 그 결과 누군가는 손해 봤다고(아마도 서로 자기가 그렇다고 믿겠지만) 생각하기 때문일 것이다. 재력을 비롯한 조건으로 출발하는 결혼이 아슬아슬한 이유다.

그렇다면 정말 중요한 것은 무엇일까? 성품이다. 나는 이것이 다른 모든 조건을 압도할 만큼, 가장 중요하다고 생각한다. 사랑이 식고 미모를 잃고 재산이 없어져도, 기본적인 품성은 쉽게 변하지 않는다. 내 아들이 배우자를 고른다고 한다면 딱 한 가지, 상대방의 인성만 보라고 충고하고 싶다.

인성 중에서도 행복한 결혼생활을 위해 가장 필요한 것은 무엇일까? 성실, 진실, 신뢰, 정직, 친근, 유머감각, 온화, 비전, 실행력…… 꼽자면 한이 없다. 인간이 살아가면서 갖춰야 할 모든 품성이 다 필요하다. 이 모든 것을 다 갖춘 사람을 찾을 수 없다면, 그래서 딱 한 가지 품성이라도 봐야 한다면, 행복한 결혼생활을 위해 무엇을 최우선 순위로 고려하면 좋을까?

사람마다 중요하게 생각하는 가치관이 다를 것이니, 일률적으로 대답하기 어려운 질문이다. 하지만 나는 이렇게 대답하고 싶다. 당신의 어머니 아버지가 지녔던 품성 중에서 당신이 가장 좋았다고 생각한 '그것'을 선택하라고.

처음 결혼생활을 시작하면 상대를 자신의 부모님과 자꾸 비교하게 될 것이다. 배우자에 대해 가장 먼저 실망하는 지점도 거기다. 여자의 경우 '우리 아버지는 이렇지 않았는데……', 남자의 경우 '왜 우리 어머니처럼 해주지 않을까?' 하는 넋두리로 불만은 시작된다.

부모님의 역할관계를 30년가량 관찰하며 남편과 아내의 역할을 알게 모르게 학습해왔기 때문이다. 그래서 내 부모님의 좋은 덕목을 갖춘 사람이 실망의 가능성을 낮출 수 있지 않겠느냐는 것이다.

남편이란 자고로 성실하고 책임감이 강해야 한다든지, 아내는 무릇 너그럽고 자상해야 한다든지 하는 어르신들의 말을 절대적인 기준으로 삼을 필요는 없을 것 같다. 다른 모든 문제와 마찬가지로 여기에서도 자기 파악이 먼저다. 사람마다 유독 관대하거나 유독 까다로워지는 부분이 있다. 그걸 스스로 알아내야 한다. 그리고 자신의 까다로움을 허용할 수 있는 인성을 지닌 상대를 찾아야 한다. 서로의 '심리적 마지노선'을 지켜주고 생활의 가치관을 공유할 때, 집에서의 인생이 더 포근해진다.

⁕

'총알 한 방의 법칙'.

사법연수원에 다니는 후배에게 들었다. 그런 법칙이 있다고. 연수원에 여성이 많아지고 함께 보내는 시간이 늘어나면서 원내 커플이 크게 늘고 있다고 한다. 그런데 워낙 작은 공동체라서, 동기생 중에 딱 한 번, 딱 한 사람과 연애할 수 있고, 그와 헤어졌다고 해서 또 다른 동기와 다시 사귀기는 매우 어렵다는 것이다. 그래서 연수원의 처녀총각들은 입소할 때 사랑의 총알을 한 개씩 지급받는데, 그 한 방을 제대로 쏘지 못하면 연수원 밖에서 짝을 찾아야 한단다. 다들 그 한 방을 매우 신중하게 쏘고, 쐈으면 반드시 맞혀야 한단다. 소문은 평생 가니까.

비단 사법연수원뿐만 아니라, 많은 사내커플이 공감할 것이다. 우리 사회는 생각보다 바닥이 좁다. 한 조직 내에서 여기저기 '총알'을 쏘고 다니다가는 바람둥이 취급 받기 십상이다. 그렇다고 지급받은 총알이 녹슬도록 꽁꽁 숨겨만 놓고 다니는 일도 답답한 노릇이다.

언제, 어디서, 누구에게, '한 방'을 쏠 것인가?

어떤 사람은 결혼을 두려워하며 미루고, 재고 재고 또 잰다. 또 어떤 사람은 조건 좋은 배우자를 쇼핑하듯이 고르다 이벤트하듯 결혼한다. 조건이 좀더 나은 사람을 찾아서 일가친척과 친구 들이 부러워할 만한 화려한 결혼식을 치르는 것이 행복에 이르는 탄탄대로라고 생각하는 것 같다.

그러나 행복한 결혼생활은 영리한 선택, 화려한 예식, 내세울 만한 조건으로 보장되지 않는다. 결혼은 자기와 배우자의 인생을 배려하며, 책임과 너그러움을 차곡차곡 쌓으며 천천히 만들어가는 기나긴 여정이다. 기쁨과 좌절의 시계추를 오가며 차츰차츰 행복의 진폭을 키워가는 쉼 없는 과정이다.

그러므로 결혼이라는 어른의 문턱에 선 이들이여, 이제 그 지루한 주저함에 모멘텀을 줄 때다. 품고 있던 총알을 꺼내 재어넣고 조준을 시작하라. 그리고 너의 한 방을 쏴라! 느낌이 오면, 주저하지 말고.

많은 미혼자들이 결혼을 미루려고 한다.
그러나 이들에게 경험자로서 한 가지 충고하고 싶은 것은,
그렇게 준비나 자신감이 확실해지는 시점이란
영원히 없다는 사실이다.

마음먹었거든, 실행하라.

어른끼리
친구하기

"반갑다, 야! 오랜만에 모이니까 정말 좋네. 우리 앞으로 자주 만나자."

졸업 후 처음으로 대학 동아리 친구들이 모였다. 동아리가 2000년대에 해체되는 바람에 공식 모임이 전혀 없다가, 우리 기 부회장을 했던 친구가 백방으로 노력해서 위아래로 3년 선후배 정도가 한식집에서 모였다. 25년 세월의 강을 건넜지만 다들 예전 모습이며 말투 그대로다. 신기하다. 늙는 것은 겉모습뿐인가보다. 옛날 별명을 부르며 왁자지껄 떠들다가, 2~3개월에 한 번은 정기적으로 모임을 갖기로 굳게 약속하고 헤어졌다. 그리고 석 달 뒤 문자

메시지가 왔다.

"5월로 예정됐던 동기모임이 취소됐습니다."

동아리의 2차 모임을 5월 19일에 이어가기로 날짜까지 잡아두고 헤어졌는데, 막상 다시 모이려니까 참석하겠다는 사람이 적어 다음에 만나기로 했다는 것이다. 나도 하필이면 그날 다른 약속이 생겨 불참할 예정이었으므로 할말은 없지만, 미리 그날 약속을 비워뒀던 친구들이 무척 섭섭해했다. 어른이 된다는 것은 이런 거다. 자기가 가고 싶은 모임에 가기보다는, 가야 하는 모임에 가는 것.

고등학교 때 교지를 함께 만들었던 친구들을 아직 만나고 있는데, 그 모임은 마음을 비우고 1년에 딱 한 번, 매년 1월 말에 만난다. 목적 없이 만나는 친목 모임 중에서는 제일 출석률이 좋다. 1년에 한 번이니까 다들 빠지지 않고 나와서 서로 잘 살고 있는지 확인한다. 우리 나이에는 1년에 한 번, 그것이 한계인가보다. 이제 아무런 목적 없이 1년에 한 번만이라도 정기적으로 만날 수 있으면, 베프(베스트 프렌드)다. 슬프다.

❧

사회생활을 시작하면 가장 먼저 어려움을 느끼는 것이 인간관계다. 학생일 때에는 나와 맞는 사람만 골라서 친하게 지내면 됐는데, 사회에서는 그렇지 않다. 상사로 동료로, 혹은 갑으로 을로, 공식적인 역할을 등에 업고 '만나야 하는' 사람과 만난다. 누군가와 새로 친구가 된다는 일이 쉽지 않다.

물론 사회에서 만나면 사람들은 대체로 친절하고, 새로 들어간 조직에서는 대부분 잘해준다. 하지만 고민은 거기서부터다. 누구를 믿을 것인가? 누구와 친하게 지낼 것인가? 학교에서 새로 만나는 선배나 친구가 선의로 다가오면 그냥 선의로 받아들이면 되었다. 하지만 직장에서는 혹시 어떤 의도가 있지는 않은가, 의심하고 다시 보게 된다. 조직 안에 파벌이 있어서 '내 사람'을 만들려는 것일 수도 있고, 상대가 이성이라면 다른 속뜻이 있을 수도 있다.

이런 상황을 두고 '처음에는 누구도 믿지 마라'는 식의 충고는 하고 싶지 않다. 사람을 순수하게 대하면 응당 그 선의는 값을 한다는 원칙을 나는 아직 믿는다. 물론 그 대가가 곧장 내게 돌아오지 않을 수도 있다. 하지만 바보 같은 선의를 지닌 나로 인해서, 내가 일하는 공간도 조금쯤 선해지는 것이다. 세상 사람들이 다 '믿을 사람 하나 없다'고 냉소할 때, 나만은 '세상이 다 그렇고 그런 거'라며 맞장구치지 않아도 된다. 내가 사람을 선의로 대하는 순간, 적어도 내가 일하는 공간에 '믿을 사람'이 한 명은 생기는 것이다. 그리고 그 선의는 천천히 전염된다.

그럼에도 굳이 사회에서의 인간관계에 대해 한 가지 충고하자면, 누군가가 '말하는 것'으로 판단하지 말고 그가 '원하는 것'이 무엇인지를 먼저 헤아리라는 것이다. 공식적인 관계에서 사람은 자신이 원하는 바를 이루기 위해 말하고 행동한다. 그래서 의도는 말이나 행동보다 본질적이다. 직장 같은 공리적인 조직에서는 누군가가 '원하는 바'를 빨리 깨달을수록 타인이 왜 그런 행동을 했는지 쉽게 이해할 수 있고, 좀더 유연하게 인간관계에 대응할 수 있다.

일이 많으면 밤을 새워서라도 처리하면 된다. 하지만 인간관계에는 답이 없다. '이렇게 순진하게 받아들이다가는 바보 되는 것이 아닐까?' 하는 염려와 '내가 너무 세상을 각박하게만 바라보는 것이 아닌가?' 하는 자책이 교차한다. 피곤하다. 마음 편히 만날 수 있는 옛 친구가 그립다.

흔히 어린 시절의 동무가 진짜 친구라는 말을 한다. 아무 목적 없이 만났으니 가장 순수한 관계라는 것이다. 하지만 나는 이 말에 완전히 동의하지는 않는다. 아무리 한때 순수했던 관계였더라도 지금 자주 만나서 그 순수한 교감을 나눌 수 없으면, 찰나의 애틋함 외에 기대할 수 있는 것이 없다. 오히려 옛 친구를 너무 오랜만에 만나면 자꾸 예전의 좋았던 관계를 복원하려는 경향이 있기 때문에 감정이 퇴행하는 경우도 있다. 오랜 시간이 흐르는 동안 서로의 상황이 많이 바뀐 후에는 만날수록 그 깊어진 괴리를 확인해야 하는 아픔도 있다.

요즘엔 디지털 친구도 많다. 미니홈피, 블로그, 카페 같은 인터넷 기반의 모임에도 많이 가입하고, 미투데이, 트위터, 페이스북 같은 SNS에도 인맥이 커지고 있다. 이제는 세계 어느 곳에 떨어져도 두렵지 않다. "바르셀로나에 맛있는 한국 음식점이 어디 있는지 아시나요?" 하고 올리면 '알바'들이 올리는 것과는 차원이 다른 진정성 있는 정보들이 속속 올라온다. 하지만 문제는 이방의 도시에서 맛집을 알려줄 친구는 몇천 명이지만, 밤새워 내 고민을 들어줄 친구는 드물다는 것이다. 역설적이게도 트위터를 하다보면 '외롭다'는 느낌을 많이 받는데, 내가 외로워서 트위터를 하는 건지, 트위터를 하다보니 더 외로워지는 건지 헷갈린다. 직접 만나지 않으니 쿨할 것 같은데, 디지털 인맥에도 나름 피로감이 크다.

ↄↄ

어른이 되어서도 많은 사람을 새로 사귄다. 동호회에도 가입하고, 동종업계 사람들의 친목모임에도 나간다. 결혼하면 배우자의 친구들, 그리고 그 배우자들과도 친구가 될 수 있다. 자녀가 생기면 아이들의 학교, 학원, 단체의 학부모들끼리 자연스럽게 관계가 형성된다. 물론 일로 만나는 사람들도 처음에는 명함을 교환하며 스치듯 관계를 시작하지만, 그중에서 정말 친해지고 싶은 인간적 매력을 가진 사람들이 있다. 나도 요즘 심정적으로 제일 가깝게 느끼는 사람들은, 머나먼 추억 속의 옛 친구가 아니라, 어른이 되어 새로 만난 사람들이다. 옛 친구 못지않게 좋다.

어릴 때 만났으면 좋은 친구고, 사회에서 만나면 그냥 업무상의 지인이라는 식의 한계를 미리 만들 필요는 없다. 아무리 나이 들어서 만났더라도, 자주 만나고 솔직하게 감정을 교환할 수 있다면 언제라도 진짜 친구를 만들 수 있다. 학창 시절의 절친이라 해도 깊이 사귀었던 시간은 대개 3~4년 정도다. 사실 사회에서 만나는 관계가 그보다 훨씬 오래갈 수도 있다.

중요한 것은 지금까지 얼마나 오래 만났는가 하는 기간의 문제가 아니다. 어떤 의도로 만나느냐, 하는 목적의 문제다. 서로에게 이익을 기대하는 것이 아니라, 그저 만나서 대화하고 교감할 수 있는 사이라는 것을 확인할 수 있다면, 바로 친구가 될 수 있다. 벗으로 삼고 싶은 사람이 있으면 일단 '목적'을 버리고 인간으로 접근하라.

그대가 먼저 마음을 열어라. 친구 하자고 말하라. 어쩌면 너의 평생 절친은 아직 생기지 않았다.

섹스, 어른의 언어,
어렵고 슬픈

🌱

섹스를 고민한다는 건 어른이 되어간다는 꽤 확실한 증거다. 섹스를 해봤다고 모두 어른이 되는 것은 아니지만, 어른들은 대개 섹스를 한다. 어원상으로도 그렇다. 어른이라는 단어는 '얼우다'에서 왔다고 하는데, 이 말은 '혼인하다' 혹은 '성교하다'라는 의미다. 그러니까 섹스는 어원상 어른과 동의어다.

인간은 왜 섹스하는 것일까? 실은 바보 같은 질문이다. 인간은 생물이고, 생물에게 부과된 지엄한 의무가 번식이다. 그러니 인간은 번식하기 위해 섹스한다. 본능이다. 하지만 모두 알다시피 인간이 꼭 생식만을 위해 섹스하는 것은 아니다. 다양한 피임방법에서 보듯이 인간은 오히려 생식을 기피하면서까지 섹스를 하고자 한다. 왜일까?

　미국의 진화심리학자 데이비드 버스는 사람들에게 섹스하는 이유에 관해 묻고, 1차로 수집된 715가지 이유를 237가지로 정리해 남녀에게 각각 다시 질문한 후 분석했다. 237가지! 섹스가 단지 자녀를 갖기 위한 것만은 아니었던 것이다. 섹스하는 이유 상위 열 가지 중에서 남녀가 공통으로 답한 것은 여덟 가지인데, 다음과 같다.[23]

　1) 나는 그 사람에게 끌렸다

　　(남자 1위, 여자 1위)

　2) 나는 육체적 쾌락을 경험하고 싶었다

　　(남자 3위, 여자 2위)

　3) 나는 황홀한 느낌이 좋다

　　(남자 2위, 여자 3위)

　4) 나는 그 사람에게 내 애정을 보여주고 싶었다

　　(남자 5위, 여자 4위)

　5) 섹스는 재미있다

　　(남자 4위, 여자 8위)

6) 나는 성적으로 흥분해서 욕망을 풀고 싶었다

　　(남자 6위, 여자 6위)

7) 나는 그 사람에게 내 사랑을 표현하고 싶었다

　　(남자 8위, 여자 5위)

8) 나는 발정한 상태였다

　　(남자 7위, 여자 7위)

이외에도 229가지의 이유가 더 있겠지만, 이 정도만 하자.

위의 여덟 가지 이유를 분류해보면 크게 세 가지로 나뉜다는 걸 알 수 있다. 관계에 관한 것(1, 4, 7), 쾌감에 관한 것(2, 3, 5), 그리고 본능에 관한 것(6, 8)이다.

다시 말해서 인간은 첫째, 더 좋은 관계를 갖기 위해서 혹은 좋아하는 감정을 표현하기 위해서, 둘째, 섹스 자체가 주는 쾌락을 즐기기 위해서, 셋째, 본능적인 욕구를 해소하기 위해서 섹스한다.

❧

『인어공주』를 다시 읽는다. 아주 유명한 이야기다. 상반신은 인간이고 하반신은 물고기인 인어공주가 우연히 왕자님과 만나 사랑에 빠진다. 그 왕자님과 사랑을 이루기 위해 인간의 다리를 얻게 되지만 그 대가는 그녀의 목소리를 잃는 것이었다. 다리를 가졌지만 목소리를 잃은 인어공주는 왕자님과 재회했으나 그의 사랑을 얻지 못하고, 결국은 물거품이 되어 죽음을 맞는다.

안타까운 사랑 이야기다. 하지만 나는 조금 다르게 해석하고 싶다. 소통 없는 섹스냐, 섹스 없는 소통이냐의 문제로 말이다.

하반신이 물고기일 때 인어공주는 왕자님과 만났고 사랑에 빠졌다. 대화할 수 있었지만 섹스는 할 수 없다. 안타까웠을 것이다. 사랑을 완성할 수 없다. 그래서 하체를 얻고자 했지만 대가로 치러야 했던 것은 소통의 수단인 목소리였다. 결국 사람의 하반신을 얻었지만…… 그 결과는 모두가 아는 것처럼 비극이다. 소통이 불가능한 섹스를 선택한 말로다. 지나친 해석인가?

그대가 인어공주(혹은 왕자)라면 무엇을 고를 것인가? 소통 없는 섹스인가, 섹스 없는 소통인가?

∽

사랑은 언어다. 서로 알지 못하던, 완전히 다르게 자라온, 독립한 두 인격체가 만나 끊임없는 교감을 통해 서로를 이해하고 공감하고 닮아가는 것이 사랑이다. 그래서 소통은 중요하다. 사랑의 고갱이다. 이런 이유로 사랑에 '무소식이 희소식'이란 없다. 소통이 단절되는 때가 사랑이 끝나는 때다.

항상 곁에 있고 아무리 친밀하더라도 더이상 소통이 이루어지지 않으면 사랑은 다하고, 아무리 멀리 떨어져 있더라도 서로 소통할 수 있으면 사랑은 유지된다. 그리고 그 소통의 끝에, 섹스가 있다.

하지만 현실에서는 안타깝게도 섹스가 완성된 소통의 모습이 아니라, 뒤틀린 관계의 증표가 되기도 한다.

첫째, 섹스가 '본능의 해소수단'으로 전락하는 경우다. 특히 남성들에게서 자주 보이는 현상인데, 심지어는 자기 파트너의 순결을 지켜주겠다고 술집 같은 곳에서 성욕을 해소한다는 친구도 보았다. 이는 여자친구에 대한 예의도 아닐뿐더러 사랑의 완성이어야 할 그 황홀한 의식을 동물적 욕정으로 전락시키는 비겁한 행동이다. 차라리 실수였다거나 참을 수 없었다고 솔직하게 말하라. '사랑하는 여자친구를 지켜주기 위해서'라는 말도 안 되는 치졸한 변명 따위는 하지 마라.

둘째, 섹스 자체가 주는 육체적 기쁨에만 탐닉하는 경우다. 처음에는 사랑의 표현으로 같이 자게 됐더라도 이후에는 육체관계로 인한 희열에만 몰입하는 경우를 종종 본다. 마치 머핀에서 초콜릿만 빼먹는 어린아이 같달까? 다른 소통과 교감의 방식은 모두 퇴화하고 관계를 위한 섹스가 아니라 섹스를 위한 관계가 지속되는 역전이 일어난다.

셋째, 섹스가 관계를 유지하는 유일한 끈이 되어버리는 경우다. 계속 관계를 맺지 않으면 상대가 자기를 지루해할까봐, 그래서 어느 날 떠나버릴지도 모른다는 염려에, 섹스가 습관이자 보험이 되는 상황이다. 감정 표현이 서투른 남자는 "사랑한다" 혹은 "미안하다" 말하기 힘들 때 대신 몸을 탐하고, 상대의 외도가 걱정스러운 여자는 그를 붙잡아두려고 함께 이불을 덮는다. 이 경우 섹스는 '감각의 타성'이 되고, 관계는 섹스로 연명하게 된다.

참 어렵다. 엄격한 도덕가가 되어 '지나친 육체적 탐닉을 자제하자'는 주장으로 해결될 문제가 아니다. 섹스는 가장 아름답고 황홀한 감정의 흐름인 사랑과 함께 갈 수 있어야 한다. 만약 욕구를 해소하는 배설에 지나지 않는다거나, 육체가 주는 순간적인 쾌락에만 탐닉하게 된다거나, 관계를 연명하는 유일한 끈이 되어버린다면, 섹스는 슬프다. 마치 인어공주 이야기처럼.

나라는 이름의
가면

🌼

나를 나라고 말해줄 수 있는 자,
누구인가.
셰익스피어, 『리어 왕』 1막 4장

"사랑합니다, 고객님."*

전화번호를 문의하려고 114를 누르니, 생면부지의 여성이 예쁜 목소리로 내게 사랑한다고 말한다. 낯선 여자에게서 그런 낯간지러운 말을 들어야 하는 나도 당황스럽지만, 저렇게 하루에도 수십 번씩 "사랑합니다"라고 말해야 하는 저 사람도 딱하다. 얼마나 겸연쩍을까? 정작 애인이나 남편에게는 사랑한다고 몇 번이나 얘기해봤을까? 회사란 참으로 탐욕스러운 존재다. 직원에게 '사랑한다'는 숭고한 언어를 아무에게나 내놓으라고 한다.

저 상담원이 출근해 자리에 앉으면서 얼굴에 쓴 것은 전화헤드

셋이 아니라 하나의 가면이었겠다는 생각을 한다. 고객이라면 아무리 무례하고 짓궂은 사람에게도 사랑한다고 말해야 하는 가면 말이다.

감정노동의 시대다. 백화점의 판매직이나 비행기 승무원처럼 고객을 직접 상대해야 하는 사람들은 개인적인 감정과 무관하게 밝은 미소를 짓고 친절한 말투를 사용해야 한다. 외로워도 슬퍼도 화가 나도 배우가 연기하듯 감정을 다스려야 하는 것이다. 무례한 소비자가 자꾸 많아지는 현실에서 정말 어지간한 노동이 아닐 것이다. 요즘은 몸뿐만 아니라 마음도 일을 한다.

항상 친절한 목소리로 극존칭의 존댓말을 사용해야 하는 전화 상담원을 비롯해 전체 노동자의 40% 정도가 감정노동자에 속한다고 하지만, 사실 거의 모든 직업이 정도의 차이는 있을지언정 어느 정도 감정노동의 성격을 띤다. 사회에 나간다는 건 여러 개의 가면을 가지고 다니면서 상황에 맞게 바꿔 쓰며 그 가면에 맞는 감정노동자로 변신하는 것일지도 모른다.

어렸을 때에는 자기 자신에게만 충실하면 되었다. 자아를 찾아 나가고 그에 역량을 집중하는 것이 청춘의 의무다. 하지만 만나는 세계가 넓어지면 역할도 많아진다. 자기에게만 집중하면 이제 이

기적이라고 손가락질 받는다. 어른이 된다는 것은 이름이 많아진 다는 거다. 집에서는 아들딸로, 아내 남편으로, 며느리 사위로, 또 아빠 엄마로, 밖에서는 유능한 직장인으로, 편한 친구나 애인을 만 날 때에도 그 상황에 합당한 연기를 할 줄 아는 유능한 배우가 되어 야 한다. 세상은 커다란 탈춤판, 본모습을 알아보기 힘든 가장무도 회장이다.

문제는 이렇게 감당해야 할 역할이 많아지면서, 진짜 내가 누 구인지 혼란스러워진다는 사실이다. 쓰고 다니던 가면이 너무 익 숙해지면 그 가면이 오히려 자기 자신인 줄 착각하게 되고, 자신의 본모습은 또다른 가면으로 느껴진다. 모두들 다중인격자가 되어가 고 있다. 옛날에는 정신질환으로 취급했는데, 요즘엔 능숙하게 사 회를 살아가는 하나의 역량으로 여겨진다.

우리의 일상생활이란 자기 인상을 다른 사람에게 연기하는 것 일 뿐이라는 주장도 있다. 고프먼이라는 사회학자는 현대의 삶이 하나의 연극이라고 말한다. 우리는 일상생활에서 아무 생각 없이 타인을 대하는 것이 아니라 매우 전략적인 고려를 하면서 자기 이 미지를 관리한다는 것이다. 마치 연극무대 위의 배우처럼 말이다. 그래서 우리는 가면을 쓰고 살아가는데, 그 가면은 우리의 본성이 라기보다는 '되고 싶어하는 자아'에 가깝다. 문제는 우리 자신이 이 가면을 때로 가짜라고 믿었다가, 때로 진짜라고 믿는, 냉소와 진실 사이의 왕복을 거듭하게 된다는 것이다.[24]

나는 누구일까?

지금 연기하고 있는 것이 나일까, 아니면 깊은 내면에 어떤 '진짜 나'가 있는 것일까?

무엇이 가면이고, 무엇이 맨얼굴인가?

࿇

사람들은 '성격 테스트'를 좋아한다. 어떤 상황에 대한 선택지를 주고, 대답에 따라 '당신은 이런 성격입니다' 하고 진단한다. 자기 모습과 일치하면 "맞아 맞아!" 손뼉을 치고, 다른 것 같으면 "나한테 이런 면이 있었나?" 고개를 갸우뚱한다. 집요하게 혈액형을 묻는 사람도 있다. A형이라고 하면, "그래서 조금 소심하시군요" 혹은 "A형치고는 적극적이신데요?" 하고 진단한다. 태어난 별자리나 사주로, 관상으로, 손금으로, 심지어는 발바닥 모양으로 성격을 짐작하는 사람도 있다.

우리가 성격 테스트에 관심을 가지는 이유는 스스로도 자신의 성격이 궁금하기 때문일 것이다. '나는 이런 사람'이라고 규정하고 싫어하기 때문일 것이다.

사실 나는 성격 테스트, 혈액형 심리학, 사주 등을 전혀 믿지 않는다. 과학적 근거가 없다고 생각하기 때문이기도 하지만, 사람의 성격은 끊임없이 변한다고 믿기 때문이다. '규정하다'는 영어로 define 인데, 울타리를 둘러서 한정짓는다는 의미다. 우리는 왜 자꾸 자신을 규정해서, 성장과 변신의 가능성에 울타리를 두르려는 것일까? 왜 나조차 나 자신에 대해 판단하고 가두지 못해 안달하는 걸까?

사회가 복잡해지면서 내가 써야 하는 가면의 종류도 다양해지고 있다. 이런 시기일수록, '나는 누구인가?'라는 문제에 대해 좀 더 유연해져야 할 것 같다. '원래 나는 이런 사람인데……' 혹은 '나는 이래야 하는데……' 하는 고정된 자아관념에 너무 집착하다 보면, 가면과 맨얼굴 사이에 돌이킬 수 없는 괴리가 생길지도 모른다. 뱀이 제때 허물을 벗지 못하면 죽는 것처럼 자아도 천천히, 하지만 꾸준히 벗어야 하는 허물 같은 것이다.

중요한 것은 나 자신과 내가 써야 하는 가면들을 '지켜보는' 일이다. 어른으로 성장하면서 변화하는 맨얼굴과, 나의 가면을 차분히 관찰할 수 있는 또하나의 객관적인 내가 필요하다. 그래야 이 혼란스러운 가면 바꿔 쓰기의 경주에서 길을 잃지 않을 수 있다.

내 성장에 걸맞은 더 성숙한 내 모습을 찾고 지켜낼 수 있다.

아침에 오늘 만날 사람들을 떠올리며 입을 옷을 고르다가, 스스로에게 묻는다.

나는 이 혼란스러운 연극의 마리오네트인가, 주인인가?

---

* 이 글의 초고가 쓰인 이후 114의 안내 멘트는 "힘내세요, 고객님"으로 바뀌었다. 전화번호 안내센터의 인사말로 적당한지는 모르겠지만, 안내원들을 위해서는 잘된 일이라고 생각한다.

엄마처럼 살기 싫었는데
자꾸만 엄마를 닮아가,
아빠처럼 되기 싫었는데
그렇게 되기도 쉽지가 않아

"아버지가 아들에게 해줄 수 있는 최선은, 일찍 죽어주는 것이다."

이 자극적인 말을 남긴 사람은 철학자이자 소설가 장 폴 사르트르다. 부모들을 대상으로 한 강연에서 '자녀에게 자신의 길을 걷게 하라'는 뜻을 전할 때면 이 말을 가끔 언급하는데, 역시 반응은 즉각적이고 뜨겁다. 사르트르는 태어난 이듬해 아버지를 여의었고 이후 장서로 가득한 외할아버지의 서재에서 책에 둘러싸여 자랐다. 권위에 의한 억압 없이 다양한 지식을 섭렵하며 보낸 소년기는 사르트르가 기존의 가치관을 뛰어넘어 자유로운 사고를 할 수 있었던 자양분이었다. 그는 자서전에 이렇게 적었다.

> 그는 버림받은 키다리 처녀를 사로잡아 결혼해 아이 하나를, 즉 나를 서둘러 만들어놓고는 죽음의 길로 달아나버렸다. (…) 만일 나의 아버지가 살아 있었다면 내 위에 벌렁 누워서 나를 짓누르고 말았으리라. 다행히도 그는 일찍 죽었다.[25]

사르트르처럼 극단적이지는 않더라도, 사실 아들에게 아버지는 좀체 넘어설 수 없고 깨지지도 않는 견고한 세계다. 어머니를 성적性的 대상으로 두고 아버지를 넘어서고자 경쟁한다는 프로이트의 '오이디푸스 콤플렉스'는 다소 과장되었다는 생각이 들지만, 어른이 되려는 아들에게 이미 많은 것을 이룬 아버지는 '넘을 수 없는 벽'이다. 아들이 아버지에게 갖는 감정은 모순투성이다. 존경과 무시, 선망과 질투가 공존한다. 그래서 '나는 아버지처럼은 되지 않을 것'이라고 다짐하지만, 비정한 사회에 발을 내디디면서 "아버지처럼 되는 것도 쉽지 않다"[26]는 사실에 절망한다.

아버지는 아버지대로 아들이 못마땅하다. 자신이 젊었을 때에는 훨씬 패기 있고 성실했던 것 같은데(물론 이건 사실일 수도 있고 아닐 수도 있다. 왜냐하면 누구나 자신의 젊은 시절을 과장해서 기억하기 때문이다), 아들 녀석은 한심하기 짝이 없다. 지금의 꼬락서니를 봐서는 도대체 뭐가 될지도 불확실하다.

그래서인지 대개 아버지와 아들은 사이가 좋지 않다. 서로를 바라보는 시각이 다른데다가, 둘 다 남자라서 의사소통이 원활하지 않기 때문이다. 보통 남자들끼리의 대화는 부실하기 짝이 없는데, 그중에서도 최악으로 형편없는 것이 바로 아버지와 아들 간의 소통이다. 좋게 시작하다가도 결국 아버지는 훈계하고 아들은 반항하는 것으로 끝나기 십상이다. 이 대화는 아버지들이 먼저 세심하고 노련하게 이끌어나가야 하는데, 장년 남성은 소통의 기술이 부족한데다가 아들에 대한 평소 인식도 비딱하기 때문에 자꾸 엇나간다.

어느 장성한 아들이 어버이날 갑자기 아버지 생각이 절실해져서, 오랜만에 전화를 해 "아버지, 사랑합니다" 했더니, 아버지가 대뜸 "이 자식아! 또 무슨 사고를 쳤냐?"고 호통을 쳤단다. 또 이런 농담도 있다. 아들과 대화를 자주 하라는 강연을 듣고 집에 돌아온 아버지가 그 '대화'라는 것을 해보려고 아들을 앉혀놓고 한참을 멀뚱멀뚱 얼굴만 보다가, 겨우 한마디 했단다.

"너 요즘 몇 등 하냐?"

아들은 아들대로 마음을 터놓고 아버지에게 말을 걸기가 쉽지 않다. 소설가 프란츠 카프카가 아버지에게 보내는 한 통의 편지가 있다. 말이 '한 통'의 편지지, 실은 『아버지께 드리는 편지』라는 책 한 권이다. 아버지에 대한 두려움 때문에 말로는 조목조목 설명할 수 없을 것 같아 결국 편지를 썼다고 한다. 아들이 아버지에게 말 걸기를 얼마나 어려워하는지 여실하게 보여준다.

아들은 자식을 기르면서부터 아버지를 진심으로 이해하기 시작한다. 적어도 나는 그랬다. 역대 최연소 신기록을 세우며 일찌감치 고등고시에 합격했던 아버지는 고시에 합격하지 못하는 나를 이해하지 못하셨다. 나는 나대로 당신이 생각하는 삶의 방식을 내게 강요하는 아버지가 미웠다. 아버지가 돌아가시고 15년의 세월이 흘러 내가 아들을 얻은 후에야, 아버지가 나를 미워한 것도, 내가 아버지를 미워한 것도 아니었다는 사실을 깨달았다.

왜 깨달음은 항상 너무 늦게 오는가? 이미 아버지는 사과 한마디 전할 수 없는 '레테의 강'을 건너신 것을. 살아 있는 동안 아들로부터 이해받지 못했던 아버지는 또 얼마나 억울했을까. 그래서 나는 갓 태어난 큰아이를 품에 안고 재우던 어느 날 굳게 다짐했다. 반드시 이 아이가 제 자식을 보는 날까지는 살아내리라고. '이놈아, 이제야 내 맘을 알겠느냐?' 하고 마음의 시위라도 한번 할 수 있도록 말이다.

아들의 성장기란 아버지를 극복하기 위한 분투의 기록이다. 아버지처럼 살고 싶지 않으며, 아버지를 이기고 싶다는 발버둥이 삶의 동력이 되곤 한다. 결국 성공이란 아버지라는 한계를 어떻게 넘어서느냐에 관한 문제로 환원되는 것이 아닐까?

　딸과 아버지 사이는 부자父子 관계보다는 훨씬 좋다. 많은 아버지들이 아들에게는 주지 않던 관대한 애정을 딸에게는 명백히 편파적으로 몰아준다. '아들바보'는 보기 힘든데, 딸 자랑이라면 이성을 잃는 소위 '딸바보' 아버지들은 주위에 참 흔하다.
　"이다음에 크면 아빠랑 결혼할 거야."
　많은 소녀들이 초롱초롱한 눈을 반짝이며 자신의 결혼상대를 밝힌다. 당연한 결과다. 딸에게 아버지는 세상에서 처음 만난 남자이자 자신을 가장 아껴주는 남자다. 아빠는 이미 엄마와 결혼한 남자라는 사실을 깨닫고 나서도, 이상형은 달라지지 않는다.
　"이다음에 크면 아빠 같은 남자랑 결혼할 거야."
　물론 아버지를 남편감으로는 탐탁지 않게 생각하는 딸도 의외로 많다. 하지만 이 경우에도 딸의 무의식 속에서 아버지라는 존재를 지워내기는 쉽지 않다.
　정신분석학의 태두인 융의 이론에 의하면, 여성의 정신 속에는 남성적 요소(아니무스animus)가, 남성의 정신 속에는 여성적 요소

(아니마anima)가 존재하는데, 사랑이란 바로 이 이성상의 투영이라고 한다. 쉽게 말하면 우리가 '첫눈에 사랑에 빠진다'는 것은, 어느 날 갑자기 귀에 종소리가 땡땡땡 울리는 백마 탄 왕자나 숲 속의 공주를 만난 것이 아니라, 바로 자기 내면의 이성상을 현실에서 다시 만나는 것이다. 그런데 많은 경우 아니무스로 아버지상이 자리잡고 있어서 여자들은 아버지의 남성성을 가진 남자에게 끌린다고 한다. 이상형이 아빠였던 데에는 다 이유가 있었던 것이다.

심지어는 아버지를 좋아하지 않는, 자의식 강하고 매력적인 현대의 '강한 여성'들도 막상 착한 남자보다는 늑대 같은 '나쁜 남자'에게 빠져들게 되는데, 이런 현상도 가부장적 아니무스의 작용이라는 것이다. 이른바 "강한 여자의 낭만적 딜레마"[27]라고 부르는 현상이다.

아버지는 딸의 첫사랑이다. 딸이 자기 짝을 찾아 사랑하고 결혼할 때, 아버지는 형편없는 노인으로 늙어 있다. 아버지, 그 영원한 이상형을 떠올리는 마음이 첫사랑에서 애잔함으로 바뀔 때, 소녀는 비로소 어른이 된다.

TV 예능 프로그램에서 출연자가 즉석에서 '어머니께 보내는 영상편지'를 보낸다. 예외 없이 눈가가 붉어진다. 방금 전까지 즐겁게 웃고 떠들다가, '어머니' 한마디가 나오는 순간 눈물이 고이기 시작하는 것이다. 대한민국에 어머니 얘기를 하면서 눈가를 훔치지 않을 자신이 있는 사람, 있는가?

그런 점에서 어머니는 아버지와 참 다르다. 아버지는 어렵고도 뛰어넘을 수 없는 유리벽 같은 차가운 존재로, 어머니는 늘 당신은 뒷전으로 내치며 우리를 포근히 감싸안아주는 애틋한 존재로 느낀다. 아버지들이 이 차별 대우를 억울하게 받아들여서는 안 될 것 같다. 우리는 어머니의 몸을 열고 나왔고, 그의 젖을 먹으며 사람 꼴을 갖추었고, 그가 입혀주는 옷을 입고, 그가 지어주는 밥을 먹으며 자랐다. 자녀 입장에서는 돈 번다고 늘 집 밖으로 도는 아버지와는 도대체 비교조차 되지 않는 것이다.

아들에게 어머니는 한없이 보호받고 싶은 대상이다가 어느 순간부터 끝까지 보호해드려야 하는 대상으로 변한다. 극적인 관계의 역전이다. 어린 아들이 어른이 되고 경제적으로 자립하기 시작하면서부터 이 부양의 빚을 갚아야 한다는 심리적 채무감이 자리

잡는다. 특히 아버지가 먼저 돌아가셔서 어머니가 홀로되시기라도 하면, 그 부담은 백배로 커진다. 하지만 문제는 그때쯤이면 이미 아들에게도 자신이 부양해야 할 가족이 있다는 것이다. 눈은 늘 어머니를 향하지만 손은 여지없이 자기 가족을 향한다. 이 눈과 손의 거리가 참 멀다. 그래서 아들은 어머니께 늘 죄인이다.

많은 어머니에게 아들은 치적治績이다. 과거 '딸 넷에 막내아들 하나' 같은 자녀의 조합이 나올 수밖에 없을 만큼 남아선호사상이 강하던 시절에는 더욱 그랬다. 간혹 어머니들이 "아무개야" 하고 이름을 부르는 대신 그냥 "아들~" 하고 부르는데, 여기에는 '나는 아들을 낳았다'는 자부심이 배어 있다. 니체가 "어머니가 사랑하는 것은 아들이 아니라, 아들 속의 자신이다"라고 말했다는데, 어머니는 자신의 '이루지 못한 꿈'을 아들에게 투사하는지도 모른다.

아들이 장성하면 어머니는 오히려 남편보다 아들에게 의지하는 경향마저 보이는데, 그럴수록 비례해서 커지는 것은 아들의 부담감이다. 아내와 어머니 사이에서, '마마보이'와 효자 사이에서 길을 잃는 남자들의 고민은 바로 여기서부터 시작된다.

반면 딸과 어머니는 시간이 갈수록 각별해진다. 일반적으로 가족간 관계 중에 가장 사이가 좋은 조합이다. 그 이유에 대해서 진화심리학자들도 한마디 거든다.

원래 생물은 생식기능을 다하면 얼마 더 살지 못한다. 천년의 고목도 더이상 꽃을 피워내지 못할 때 비로소 죽는다. 산란을 마치고 장엄하게 죽어가는 연어떼를 보라. 종족 번식의 책임을 다했으니 후손에게 생존에 필요한 자원을 양보하는 것이 더 효율적이다. 그런데 인간은 독특하다. 생식을 마친 후에도 상당히 오래 생존한다. 특히 여성들은 폐경 이후에도 30년가량을 더 산다. 왜 그럴까? 진화심리학자들은 인간이라는 종은 육아에 매우 과도한 노동이 필요하기 때문에, 여성이 늙어서 출산하지 못하더라도 딸의 육아를 돕기 위해 폐경 후에도 생존하는 방향으로 진화했다고 설명한다. 이른바 '할머니 가설'[28]이다. 그러니 딸과 어머니의 사이는 진화론적으로도 각별할 수밖에 없다.

진화심리학의 가설이 옳은지 그른지를 따질 필요도 없이, 주위에서 보아도 증거는 분명하다. 딸과 어머니는 나이 들수록 친구가 되어간다. 딸 둘 가진 엄마는 '금메달', 딸 하나 아들 하나 둔 엄마는 '은메달', 아들만 가진 엄마는 '목메달'이라는 농담이 있는데, 다 그런 연유에서 나온 것일 테다. 어릴 때 그렇게 아옹다옹 다투었던 사이였더라도, 딸은 어른이 되어가면서 어머니에게 지상 최고의 친구로 변한다.

많은 딸들이 자라면서 '나는 엄마처럼 살지 않겠다'고 다짐한다. 가부장적 질서에 순응하며 살아온 엄마 세대를, 독립적이고 적극적인 성역할을 교육받은 딸 세대는 도저히 이해하지 못하는 것이다. 옷 입는 취향이나 집안 살림 같은 사소한 문제에서도 딸과 엄마는 사사건건 부딪친다. 초기에는 의사결정권을 쥔 엄마에게 굴복하지만, 딸들은 마음속으로 굳게 결심한다. '나는 엄마처럼은 살지 않을 거야!' 심지어 엄마도 딸을 격려한다. '그래, 너는 절대 나처럼 살지 마라.'

가끔 아내가 "나이 들수록 징그럽게 싫었던 엄마의 방식으로 살게 되는 자신을 볼 때마다 소스라치게 놀란다"는 말을 한다. 결혼 초기에는 못 느꼈는데, 시간이 지나면서 장모님이 살림하는 방식과 사람들을 대접하는 방식과 말투 등이 무척 익숙하다는 느낌을 받는다. 가끔은 두 집의 실내장식에서도 비슷한 구석이 발견된다. 아내는 속속들이 장모님이 되어가고 있는 것이다. 그래서 총각들에게 '결혼하려는 사람의 어머니가 어떤 분인지를 꼭 살펴보라'는 말을 하는가보다. 어쨌거나 아내는 가끔 투덜투덜 혼잣말을 하는데, 그것이 그녀만의 독백은 아닌 것 같다.

"엄마처럼 살고 싶지 않았는데, 자꾸만 엄마를 닮아가……"

어른이 된다는 것, 그것은 지금까지와는 전혀 다른 방식으로 부모님을 이해하게 되는 과정인지도 모른다. 아버지, 어머니를 향한 그 모순된 애증의 감정들을 새롭게 바라보고 느끼기 시작하면서, 우리는 그렇게 천천히 어른이 되어가는 것이다.

창살 없는 감옥에서
자기만의 왕국으로

쌀 씻고 빨래하고 옷 꿰매고
나날의 무서울 만큼 단조한 반복 속에서
그 여자의 의식은 엷게나마 눈을 뜰 것이다.
이것이 나의 생활인가 하고 느낄 때 우리는
그 의식의 각성을 소중히 포착해야 한다.
전혜린, 『그리고 아무 말도 하지 않았다』

가끔 주례를 선다. 주례는 강의와 다르다. 강의는 내 것이니까 조금 틀려도 되고, 매주 진행되니까 뭔가 빼먹으면 다음 시간에 더 잘하면 된다. 하지만 결혼식은 내 것이 아니니까 틀리면 안 되고, 그들의 일생에 단 한 번 하는 행사이기 때문에 '다음'이 없다. 그래서 결혼식 내내 긴장된다. 어느 판사님은 "원고는 피고를 아내로 맞아……" 하는 식으로 결혼식 내내 신랑 신부를 원고와 피고로 불렀다고 한다. 나는 "신랑 신부는 학생들을 향해 돌아서세요"라고 한 적도 있다.

하지만 제일 긴장되는 순간은 결혼식을 다 마치고 "신랑 신부,

행진!"을 외칠 때다. 사회자가 말하듯이 "이제 세상을 향해 함께 첫 발을 내딛는 신랑 신부"의 뒷모습을 볼 때 말이다. '연애할 때는 참 보기 좋았는데, 이제 진짜 부부가 된 저 친구들, 잘 살까?' 하는 생 각에 결혼식을 마쳐 긴장이 풀리는 것이 아니라, 진짜 긴장이 밀려 온다. 게다가 신부가 전업주부가 될 예정이라고 하면 걱정이 더 커 진다.

물론 사랑하는 사람과 한집에 살면서 살림을 시작한다는 것, 그 보다 더 행복한 일은 없다. 전업주부라는 것은 그 행복한 일을 전 업專業으로, 말 그대로 매일같이 하루 종일 할 수 있다는 의미다. 복 받은 일이다.

그럼에도 걱정되는 이유는, 전업주부가 되면 받아들여야 할 변 화가 엄청나기 때문이다. 처녀 때와는 비교할 수 없고 예상도 못 했던 '새로운 세계'로 들어간다. 남성이나 사회생활을 하는 여성들 은 결혼하고 나서도 미혼이었을 때의 정체성을 그대로 유지하면서 배우자로서의 역할이 더해진다. 사회생활이라는 '삶의 절반'이 남 아 있는 것이다. 하지만 전업주부들은 미혼기의 생활과 적지 않은 단절이 생긴다. 만나는 사람, 추구하는 가치, 관심 두는 대상이 크 게 달라진다. '삶 전체'가 바뀌는 것이다.

내 아내만 해도 그랬다. 학교 졸업하고 잘 다니던 직장을 결혼하면서 그만뒀고, 얼마 후에는 내 유학길을 따라 말도 잘 통하지 않는 낯선 곳에서 살림을 시작했다. 함께 공부하기로 했지만 이내 큰아이를 갖는 바람에 그나마 그만둬야 했다. 입덧이 심해서 바깥 출입도 제대로 못 했다. 결혼을 계기로 처녀 때의 삶과는 완전히 다른 생활과 맞닥뜨려야 했던 것이다. 그때 나는 아마도 남편이면서 간수看守였으리라.

주부에게 가정은 하나의 섬이다. 자기만의 왕국이 될 수도 있고, 창살 없는 감옥이 될 수도 있다. 안정과 고립을 동시에 경험한다. 요즘 주부들이야 외출도 자주 할 수 있고 전화며 컴퓨터며 소통의 수단이 가득한데, 고립이 웬 말이냐고 하는 사람도 있을지 모르겠다. 하지만 이 고립은 심리적인 것이다. 하루 종일 외출하거나 수다를 떨어도 채울 수 없는 마음의 단절이 있다.

이런 단절감은 개인에서 주부로 '존재의 의미'가 바뀌는 데서 온다. 그런데 문제는 이 '주부라는 존재의 의미'는 혼자 찾을 수 있는 것이 아니라, 다른 가족에게 의존해야 비로소 완성된다는 데 있다. 다시 말하면 남편이 얼마나 성공하느냐, 자식이 얼마나 공부를 잘하느냐, 혹은 가정이 얼마나 풍요하고 화목한가에 주부로서의 성취가 달린 것이다. 그런데 남편이 성공하고 아이가 공부 잘하고 가정이 넉넉해지는 것은, 주부가 혼자 노력한다고 되는 문제가 아니다. 자기 정체성을 자신이 아니라 다른 사람에게 의존해야 한다는 것은 불안한 일이다. 그럼에도 불구하고 이런 것들이 주부의 가치를 평가하는 절대기준이 되면서, 자신의 행복을 스스로 결정할 수 없는 위기가 오는 것이다. 이렇게 전업주부의 일상은 "감당하기 어려운 압력과 채워지지 않는 욕망"[29] 사이에서 길을 잃는다.

전업주부는 정체성의 핵심이라고 할 수 있는 '자기 이름'과도 차츰 멀어진다. '누구 아내' '누구 엄마' '어디 댁'으로 불린다. 병원에서 차례를 기다리다가 간호사가 자기 이름을 계속 부르는데 '저 사람은 왜 안 나타날까?' 하고 혼자 생각했다는 분도 만난 적이 있다. 플레이보이들이 주부를 유혹할 때 제일 먼저 하는 작업이 이름을 불러주는 일이라고 한다. 이름이 불린다는 것은 중요한 일이다.

시간이 지날수록 자기 정체성이 흔들릴 수밖에 없는 전업주부들에게 가장 필요한 것은 '주부로서 나는 중요하다'는 스스로의 가치 부여라고 생각한다. 방금 결혼행진을 마친 젊은 새댁에게만 필요한 것이 아니다. 이런 인식은 오히려 결혼생활이 오래될수록 더욱 중요해진다. 전업주부로 사는 기간이 늘어날수록 더 당당해야 한다.

가치의 기준을 '자기'에게 두어야 한다. 예를 들면 이런 것이다.

전업주부가 취업주부보다 보람 있는 것은 아이가 공부를 더 잘할 때가 아니다. 다른 사람은 줄 수 없는 대체 불가능한 사랑을 자식에게 더 많이 줄 수 있다는 만족감을 '스스로' 느낄 때이다.

전업주부가 취업주부보다 보람 있는 것은 남편이 충분한 돈을 벌어서 내가 일할 필요가 없다고 흐뭇해할 때가 아니다. 많건 적건 가정의 수입을 합리적으로 관리하고 투자해서 결과적으로 그들보다 더 효과적으로 살림을 꾸려가고 있다는 자부심을 '스스로' 느낄 때이다.

전업주부가 취업주부보다 보람 있는 것은 회사에 가지 않아서 더 한가할 때가 아니다. 여느 여성 직장인들보다 더 바쁘고 부지런하게 나와 가족의 행복을 위해 시간을 들이고 있다는 긍지를 '스스로' 가질 때이다.

～

그렇다면 구체적으로 어떻게 전업주부로서의 자기 정체성을 더 단단하게 만들 수 있을까? 나는 세 가지를 제안하고 싶다. 자기 책상, 자기 시간, 그리고 자기 급여통장.

먼저 주부에게도 '자기만의 공간'이 있어야 한다. 흔히 집 전체가 주부의 것이라거나, 주방이나 침실을 주부의 전용 공간이라고 말하지만 이는 생활공간일 뿐이다. 노동하는 공간이 아니라 자기를 자기답게 만들어줄 수 있는 공간이 따로 필요하다. 물론 가뜩이나 좁은 집에 '주부 공간'을 따로 둘 수 있는 사람은 많지 않을 것이다. 그래도 책상 하나 놓을 공간은 꼭 마련해야 한다. 화장대가 아니라 책상이다. 거기서만큼은 커피를 마시든, 책을 읽든, 라디오를 듣든, 자신의 외모가 아니라 내면을 마주할 수 있도록 독립된 '공간의 여지'를 만들어야 한다.

자기 책상을 마련했다면 이번엔 고정적으로 확보된 '자기 시간'이 필요하다. 남편 출근하고 애들 학교 가고 나면 그 시간이 전부 주부의 것 아니냐고? 그렇지 않다. 가사노동을 하다 피곤해지면 소파에 잠깐 앉아서 TV를 보는 식의 시간은 자기 시간이라고 할 수 없다. 학생들이 50분 공부하면 10분 쉬고 12시가 되면 점심시간을 갖듯이, 특정 시간대를 정해놓고 그 시간이 되면 종이 울린 듯 자기만의 공간으로 돌아가 쉬는 일상의 여백을 만들어야 한다. 전업주부처럼 재량껏 사용할 수 있는 시간이 많아 보이는 경우에 오히려 시간 관리하기가 더 어렵다.

개인시간과 업무시간의 구분이 확실하지 않은 교수생활을 15년 넘게 해오다보니 깨달은 바가 있다. 그럴수록 노동과 휴식과 놀이의 시간 구분을 분명하게 해줘야 한다는 것이다. 나를 나답게 만들어줄 수 있는 일, 나 자신이 행복해지는 일을 위해 하루 50분만이라도 자기 시간을 갖자.

　마지막으로 주부도 '급여통장'이 필요하다. 비자금통장이 아니다. 급여통장이다. 가구 소득의 일정 부분을 가사노동의 대가로 떳떳하게 이체받을 자신의 통장이 있어야 한다. 물론 대부분 남편의 급여통장이나 집의 생활비 통장을 주부가 관리하기 때문에, 그 돈이 그 돈 아니겠느냐고 하는 사람도 있을지 모르겠다. 하지만 그렇지 않다. 늘 빡빡한 가계부의 수지를 맞추느라 후순위로 밀렸던 자신에 대한 투자를 좀더 당당하게 할 수 있어야 한다. 설령 그 돈을 살림에 보태거나 시댁과 친정에 보낸다 할지라도 그것은 생활비에서 빼낸 것이 아니라 '내 돈'을 보내는 것이다.

　무엇보다 가사 역시 가치 있는 노동의 한 형태라는 사실을 스스로에게 물질적으로 보상해줘야 한다는 점이 중요하다. 실제로 주부의 급여를 얼마로 할 것인가에 대해서는 집안마다 사정이 다르니 쉽게 말할 수는 없을 것이다. 하지만 소액일지라도 주부들도 자신의 급여통장을 하나씩 가질 수 있었으면 좋겠다.

　아내에게 급여통장을 만들어주겠다고 했을 때, 처음에는 "웬 쓸데없는 일을 하느냐?"고 타박을 들었지만, 이제는 통장을 볼 때마다 아내가 더 즐거워한다. 남편들이여, 아내의 내조에 감사한다면 말로만 하지 말고 통장으로 증명해 보이시기를!

～

그러나 이런 여러 노력도 전업주부 스스로 즐기지 못한다면 모래로 쌓은 성일 뿐이다. 마음의 섬에서 나와야 한다. 직장인들의 인간관계를 넘어서는 다양한 만남을 만들어야 한다. 서로 만나 배우고 교유하면서 전업주부의 즐거움과 고통을 나누고 풀어갈 때, 가정이라는 폐쇄적인 마음의 울타리를 비로소 뛰어넘을 수 있다. 스스로 이러한 긍지와 재미를 만들지 못하면, 주부는 '사랑하는 나의 가족'이라는 팻말이 붙은 감옥의 수인이 되어버린다.

이 땅의 전업주부들이여, 그리고 나의 아내여, 자부심을 가지시길. 전업주부는 자기만의 왕국을 다스리는 지상 최고의 존귀한 직업이다. 그 왕국에서 당신을 가장 사랑하고 당신이 가장 사랑하는 사람들이 당신의 손길 아래 먹고 입고 자며 살아가고 있기에.

대한민국에서
'워킹맘'으로 산다는 것

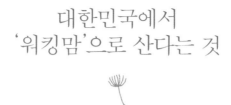

도둑처럼 밤에 들어 세수를 하려는데
여섯 살짜리 딸애 칫솔과 내 칫솔이
뭉개진 털을 싸쥐고 서로를 부둥켜안고 있다
빈 낮 내내 딸애가 부둥켜안고 싶었던 거
정끝별, 「밤의 소독」

오늘은 아침 7시 30분에 회의다. 지구상에 아침밥 먹으면서 회의하는 나라는 아마 우리나라밖에 없을 것이다. 나는 새벽에 맑은 정신으로 글을 써야 하는데, 그 시간에 별 재미도 감동도 없는 각종 현황과 대책을 듣고 있어야 한다.

사실 "나는 늦잠 자려고 교수 됐다"는 말을 입에 달고 살 만큼 일찍 일어나는 것이 싫다. 똑같은 시각에 일어나더라도 자연스럽게 잠이 깨는 것과 알람으로 억지로 깨는 것은 하늘과 땅 차이다. 알람시계를 맞춰놓고도 몇 번씩 잠이 깨어 "몇시지?"를 반복한 끝에 겨우 찾아간 꿈나라에서, 그 요란한 사이렌 소리가 나를 이 번

잡한 세계로 소환한다. 지구가 멸망하는 것이 아닌 이상, 아침의 이 소박한 평화를 깨고 논의해야 할 긴급사태 따윈 없다고 생각한다. 그래서 나는 조찬회의 하자는 사람이 세상에서 제일 밉다.

새벽 6시, 짜증스러운 알람 소리로 식구들 다 깨우면서 일어나 대충 씻고 옷 입고 학교로 향한다. 회의실에 5분 정도 늦게 도착하니, 다른 참석자들이 거의 다 와 있다. 옆자리 어느 여교수님에게 일찍 일어나야 하는 아침회의가 너무 싫다고 투덜댔더니 빙긋이 웃는다. 그러고는 한마디. "선생님은 그냥 몸만 나오시면 되잖아요. 저는 애들 아침식사랑 학교 준비물까지 다 챙겨놓고 나왔어요."

세상에, 그 생각을 못 했다. 이분은 도대체 몇시에 일어났을까? 밥 차리고, 준비물 챙겨주고, 외출 준비하고…… 더구나 집도 멀다. 아, 살아가기의 피곤함이여!

기혼여성 직장인들은 인류 역사상 사람을 가장 착취하는 두 조직, 직장과 가정 사이에 옴짝달싹할 수 없이 끼여서 과로를 온몸으로 받아내야 한다. 가사노동이 주부의 몫으로 고스란히 남는 우리나라의 가정문화에서는, 직장에 다닌다고 해서 주부의 의무가 경감되진 않는다. 또 직장에서도 돌봐야 할 가정이 있다는 이유로 업무에 대한 기대를 낮춰주지 않는다. 사회에서는 가정에 충실하면서 회사에서도 승승장구 승진을 거듭하는 여성 임원들을 치켜세우며 평범한 여직원들을 무능력자 취급 한다. 가장 듣기 싫은 두 가지 말 "엄마 오늘 또 늦어?"와 "역시 여자는 이래서 곤란해" 사이에서 방황하다가 길을 잃고 마는 것이다.

요리, 청소, 빨래, 구매, 재테크 등 모든 가사노동이 어느 하나 쉽지 않지만, 그중에 제일 어려운 것은 역시 아이들 기르는 일이다. 큰아이를 유학 시절에 낳았기 때문에 그때는 나도 육아를 제법 도왔다(어쩌면 집에 있는 시간이 많아서라기보다는 한국이 아니어서 그랬는지도 모르겠다).

당시 아이를 기르면서 느낀 것은 육아란 일반 가사노동이 아니라 양육자의 영혼을 요구하는 일이라는 것이었다. 아이가 시도 때도 가리지 않고 일을 저지르고 울어대기 때문만은 아니다. 한 생명을 키워내는 것이기에 혼이 담긴 지극한 정성을 요구한다. 내 아이가 말 못 하는 아기일 때는 숨소리와 심장소리까지 체크하며 온몸으로 대화해야 한다. 걷고 뛰고 종알거리기 시작하면 그때그때 눈높이를 맞춰 아이의 관심사와 성장과정에 맞장구쳐야 한다. 다른 모든 일과 달리 육아가 힘든 건 결코 습관적으로 대충 할 수 없기 때문이다.

아이가 자라 스스로 생활할 수 있게 되었다고 해서 상황은 나아지지 않는다. 학교에 다니기 시작하면서 본격적인 교육경쟁이 시작되고 그로 인한 심리적 스트레스는 더욱 커진다. 전업주부인 엄마들은 학교와 학원을 중심으로 강력한 네트워크를 만들고 정보를 교환한다. 거기에 직장 다니는 엄마가 끼어들 틈은 별로 없다. 아이의 학업성취도가 전적으로 엄마의 책임으로 치부되는 분위기 속에서, '나는 아이에게 최선을 다하고 있지 못하다'라는 죄책감에 시달린다.

그렇다고 다 자란 아이가 엄마의 마음을 살뜰하게 헤아려주는 것도 아니다. 26년차 고등학교 교사 안준철은 감정 기복이 심한 사춘기 청소년들을 '아이'와 '광인'의 중간쯤에 있는 사람이라고 했다.[30] 맛있는 것만 입에 물려줘도 방실방실 웃던 천사 같던 아이는 이제 사진첩 속에나 존재한다. 밥상머리에서 내내 휴대폰을 들여다보며 혼자 히죽거리더니, 엄마가 슬쩍 성적 얘기라도 꺼낼라치면 자리를 박차고 일어나 잔소리 좀 그만하라며 꽥꽥댄다.

신혼 땐 남편의 사랑으로, 육아 초기엔 아이의 재롱으로 견뎠다면, 이즈음엔 도대체 맘 붙일 곳조차 없다……

피곤하다. 정말 피곤하다. 해야 할 일의 절대량이 너무 많아 육체적 피로가 떠나지 않는다. 그 많은 일을 척척 다 해내지 못하고 있다는 죄책감에 감정적 피로가 늘 붙어다닌다. 이 육체적 정서적 피로는 매우 본질적이고 폭력적이다.

어느 기혼여성 직장인에게 언제 정체성의 위기를 느끼느냐고 질문했더니 이렇게 대답한다.

"정체성이요? 하루 24시간이 어떻게 지나가는지 도대체 모르겠는데, 제게 정체성 운운하는 것은 사치예요. 제 소원이 뭔지 아세요? 그냥 졸릴 때 자고 일어나고 싶을 때 깨는 거예요, 딱 하루만이라도!"

이쯤 되면 더이상 여성들 개개인의 분투와 죄책감에만 떠넘길 수 있는 문제가 아니다. 이 문제가 불거져나오면 흔히 정치인과 행정가 들은 보육비만 지원하면 된다고 생각하는 것 같다. 대부분 남자들인 까닭에 문제의 본질에 대한 이해가 전혀 없다.

먼저 문화가 바뀌어야 한다. 가사는 주부가 전담해야 한다는 생각, 업무시간 이외의 초과 근무가 당연시되는 직장문화, 아이 성적은 엄마가 할 나름이라는 잘못된 사회적 인식, 사교육의 도움을 받지 않으면 안 되는 교육문화 등등…… 이 잘못된 문화와 인식이 바뀌지 않는 이상 기혼여성 직장인들의 스트레스는 근본적인 치유가 힘들다. 보육과 학교 현장이 바뀌고, 언론에서는 꾸준히 캠페인을 펼치고, 교육제도를 개선해나가는 노력이 이루어져야 할 것이다.

정부와 자치단체의 정책도 바뀌어야 한다. 제도는 중요하다. 제대로 된 제도는 사람의 행동을 바꿀 수 있고 종국에는 문화도 바꾼다. 검토할 수 있는 여러 제도 중에서 개인적으로 가장 필요하다고 생각하는 것은 법정 근로시간을 준수하는 것이다. 무작정 근로시간을 줄이자는 의미가 아니다. 주어진 시간 동안 좀더 효율적으로 일하고 정해진 퇴근시간에 부담 없이 회사를 나설 수 있도록 각 기관에서 여건을 조성하고, 사회적인 차원에서는 '일자리 나누기'를 모색해야 한다.

하지만 이러한 변화들은 당장 실행될 수 있는 것들은 아니다. 코앞의 재선만 생각하는 정치인들과 현실성 없는 탁상공론만 하는 관료들이 세월을 보내는 동안, 일하는 기혼여성들의 고통은 계속된다. 물론 앞서 이야기한 여러 요구들을 투표로, 건의로 적극적으로 전달하며 힘을 모아야겠지만, 일단 사회가 바뀌기 전까지는 긴급처방으로 우리 주위의 생각부터 조금씩 바꿔가자는 것이다. 남편들은 가사를 '돕지' 말고 책임감을 갖고 '나누어 맡으며', 직장상사들은 기혼여성을 좀더 배려해야 한다.

여성들도 스스로에 대해 좀더 너그러워져야 한다. 자신에 대한 여러 가지 요구가 버거울수록, 한계를 넘어서는 일은 포기하는 연습도 해야 한다. 교수로서 교육현장에서 오래 일했고 내 아이들을 직접 가르쳐보기도 했지만, 학생의 학업성취에 대한 엄마의 기여도는 예상보다 훨씬 적다. 아이들은 제 공부를 제가 한다. 아무리 엄마가 닦달하고 동동거려도 어쩔 수 없는 부분이 있다. 완벽한 엄마, 완벽한 직장인이 되어야 한다는 강박관념에서 벗어나야 한다.

한병철 교수는 『피로사회』라는 책에서 현대 사회는 자기가 자기 자신을 착취하는 곳이라고 개탄한다. 우리 스스로가 피해자이면서 가장 무서운 가해자라는 것이다.[31] 이는 성과사회의 특수한 질병이라지만, 가정과 직장 사이에서 이리저리 치이며 둘 다 잘해내야만 하는 기혼여성들에게 특히 절실한 아픔이 아닐까?

대한민국의 워킹맘들이여, 일단 마음의 부담부터 덜자. 그리고 가장 가까운 남편에게 그리고 아이들에게, 가족에게 자신의 힘겨움을 고백하자. 아이들이 힘들 때 부모에게 손을 내미는 것을 자연스럽게 받아들이는 것처럼 어른의 고백도 자연스러운 일이다. 부모가 자신의 어려움을 이야기하는 것은 어른이 될 아이에게도 살아가는 공부가 된다. 부모를 이해하는 실마리가 된다.

직장에서 하루 종일 시달리고 흔들리는 차에 겨우 몸을 실은 퇴근길이 기혼여성들에겐 실은 쌓여 있는 집안일을 향해 출발하는 '도로 출근길'이다. 어떻게든 이 다람쥐 쳇바퀴를 멈춰야 한다. 거기 누구 없는가?

대한민국의 워킹맘들이여,
가족에게 자신의 힘겨움을 고백하자.
아이들이 힘들 때 부모에게 손을 내미는 것을
자연스럽게 받아들이는 것처럼
어른의 고백도 자연스러운 일이다.
부모가 자신의 어려움을 이야기하는 것은
어른이 될 아이에게도 살아가는 공부가 된다.

가족,
작은 말로 쌓는 탑

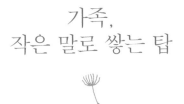

아버지는 지방 근무가 잦은 공무원이었다. 하지만 우리 형제들
은 서울에서 학교를 다녔기 때문에 부모님은 주로 주말 혹은 월말
부부로 살았다. 내가 고등학생 때 아버지는 30년 가까운 공직생활
을 마감하고 비로소 서울에 자리를 잡았다. 평생 처음으로 여유로
운 시간을 갖게 된 아버지와 어머니는 단둘이 3주 동안의 유럽여행
을 떠났다. 당시만 해도 해외여행이 보편화되지 않았던 때여서, 다
들 부러워했다.

여행을 끝내고 귀국하던 날, 공항에 마중을 나가 부모님을 기다
리는데 미소가 절로 지어졌다. 주말부부, 월말부부일 때에도 금실

이 무척 좋았는데, 이제 해외여행까지 함께 다녀오셨으니 얼마나 정다울까, 하는 생각이 들었던 것이다.

그런데 공항을 나서는 두 분의 모습을 보고 깜짝 놀랐다. 남남처럼 따로 나오는 것이었다. 크게 싸웠다고 했다. 나중에 어머니 얘기를 들어보니 출발하고 며칠 지나지 않아 일정 문제로 다투기 시작해서, 여행 내내 거의 말도 안 하고 지냈다고 한다. 계속 함께 움직여야 하는데 그런 상태로 냉전과 열전을 반복하며 지내자니 평생 처음 하는 해외여행이 좋기는커녕 참으로 지옥 같더라고 고개를 절레절레 흔드시는 것이었다. 파리에선가는 아버지만 밖에 나가고 어머니는 하루 종일 호텔방에서 알아듣지도 못하는 TV만 본 날도 있었다고 한다.

나는 그때 정말 이해가 가지 않았다. 어머니는 평소에 "세상에 너희 아버지처럼 가정적이고 아내를 사랑하는 사람은 없을 것"이라고 입버릇처럼 말씀하셨다. 그렇게 사이좋은 두 분이 둘만의 오붓한 여행을 떠나 왜 그리도 싸우셨을까?

결혼 20주년을 맞고 난 요즘 비로소 그 이유를 깨닫는다. 이상한 게 아니라 당연한 결과였다. 두 분이 그렇게 긴 시간을 함께 보낸 것이 처음이었기 때문이다.

노부부가 평생 처음으로 둘만의 크루즈 해외여행을 다녀와서 이혼하기로 했다는 우스갯소리를 종종 듣는다. 사교춤이나 파티 등 크루즈 문화에 익숙하지 않으면, 별다른 할 일이 없는 상태로 둘이 함께 있어야 하는 시간이 많아지는데, 그러다보면 자연 다툴 일도 많아진다. 부부가 선실에 갇혀 24시간을 함께 부대껴야 하니, 다투지 않을 재간이 없는 것이다. 꼴 보기 싫다고 바다로 뛰어내릴 수도 없는 상황이 아닌가.

젊은 부부도 사정은 마찬가지다. 가다 서다를 반복하는 정체된 고속도로 위에서 많이 다툰다. "에잇, 길은 또 왜 이렇게 막혀?" "그러게 내가 국도로 가자고 했잖아?" "이렇게까지 막힐 줄 누가 알았겠어?" 이 정도면 불쏘시개는 충분히 쌓아둔 셈이다. "근데, 왜 당신은 나한테 사사건건 시비야?" 불이 붙는다. 막히는 길 위의 좁은 공간은 뜨거운 연옥으로 변한다.

파리의 호텔 안이든, 크루즈 선실 속이든, 귀경길 차 안이든, 문제가 커지는 것은 그동안 '진짜로 함께한 시간'이 적은 탓이고, '정말로 대화한 시간'이 모자란 탓이다. 생각해보면 우리나라의 많은 부부들이 10년을 넘게 함께 살았다고 해도, 잠들어 있는 시간을 제외하면 막상 함께 지낸 시간이 많지 않다. 그나마 몸은 함께 있어도 각자 TV드라마 보고 신문 읽으며 따로 보내는 시간까지 제외하면, 부부라고 해도 웬만한 직장동료보다도 대화를 나누는 시간이 적은 것이다.

༄

　어릴 때 외가댁에서 있었던 일이다. 외할아버지가 외할머니 방 천장의 전구를 갈고 있었다. 외할아버지는 집안일에 아주 무심한 분이었기 때문에, 매우 보기 드문 광경이었다. 외할아버지가 전구를 다 갈고서 의자에서 내려오는 모습을 물끄러미 바라보던 할머니는 혼잣말을 하셨다.

　"서방 없는 년은 어찌 사누?"

　그게 다였다. 분명 그렇게 말씀하셨다. 그 한마디 하시며, 할머니는 부엌으로 들어가버렸다.

　난 그때 그 말이 무슨 의미인지 이해하지 못했다. 어린 나로서는 할머니 입에서 '년'이라는 욕설이 몹시 자연스럽게 나온 것이 놀라워, 지금도 똑똑히 기억하고 있다.

　이제야 그 말의 속뜻을 알 것 같다. 할머니는 할아버지께 '고맙다'고 말씀하셨던 것이다. 차마 손자 앞에서 (내가 없었더라도 상황은 마찬가지였겠지만) "고마워요"라고 직접 말은 하지 못하고, '남편이 있으니 참 좋다'는 말을 에둘러 표현한 것이다.

　두 분 모두 돌아가신 지 오래지만, 생각할수록 재밌다. 아무리 옛날 분들이지만 꼭 그런 식으로 말씀하셔야 했을까?

하긴 지금 어르신들 이야기할 때가 아닌 것 같다. 그 피를 이어받아 그런지, 한국 사람이 원래 고맙다는 말에 인색하기 때문인지, 결혼생활을 오래하면 응당 그렇게 되는 것인지…… 나도 여간해서는 아내에게 고맙다는 말을 못 하고, 아내가 내게 고맙다고 말한 것도 참으로 오래전이다. 밖에서는 말하는 것이 직업인 나도, 집 안에서는 꿀 먹은 벙어리다.

한번은 어느 미국 교포의 집에 놀러 갔다. 마침 아들이 여자친구를 집에 데리고 왔는데 백인이었다. 둘이 어색하게 인사하고 2층으로 올라가자 그 아버지가 나지막하게 속삭였다. "둘이 사귀는 것은 괜찮지만, 결혼은 안 된다고 아들에게 말해뒀어요. 꼭 한국 여자랑 결혼하라고요."

"요즘 세상에 서양 며느리가 뭐 어때서 그러세요?" 물었더니, 대답이 걸작이었다.

"내가 아들한테 그랬어요. 너, 미국 여자랑 살면, 늙어 죽을 때까지 아침마다 'I love you'라고 해줘야 한다. 안 그러면 바로 이혼당한다. 젊을 때야 그럴 수 있다 치고, 다 늙어서도 그렇게 할 수 있겠느냐? 피곤해서 안 된다. 한국 남자, 절대 그렇게 못 한다. 그러니 꼭 한국 여자랑 결혼해라."

국제결혼을 반대하는 이유가 문화가 달라서라거나 혈통의 순수성을 지키고 싶어서가 아니라, 아침마다 일어나서 아내에게 사랑한다고 말하는 것이 귀찮아서란다. 한국 남자, 참 대단하다. '잔정 없는 남자 뽑기' 올림픽에라도 나가면 금메달은 따놓은 당상일 게다.

하긴 한국 사람들 대부분이 그런 것 같다. 미국 사람들은 "I love you" "Thank you" "I'm sorry" 같은 말을 참 잘도 하는데, 우리는 도저히 모면할 수 없는 '결정적인 순간'이 아니면 그런 말은 하지 않는다. 그날 동석했던 부인들은 입을 삐죽였지만, 남자만 그런 것 같지도 않다. 손바닥도 마주쳐야 소리가 나는 것이어서, 아내들도 갈수록 말수가 줄어든다. 미국 사람들이 아침마다 하지 않으면 이혼 당한다는 "사랑한다"는 그 말을 우리는 평생 동안 몇 번이나 하는가?

❧

2012년 초반에 폭발적인 반응을 얻었던 공익광고가 있다.

"사원 김아영은 친절하지만, 딸 김아영은……"
"꽃집 주인 이효진은 친절하지만, 엄마 이효진은……"

"친구 김범진은 쾌활하지만, 아들 김범진은······"
"부장 김기준은 자상하지만, 남편 김기준은······"

집 밖에서는 친절하고 쾌활하고 자상한 사람들이 막상 집에서는 퉁명스럽고 불친절해지는 모습을 그렸다. 바로 우리 모두의 모습이었다.

당시 내가 만난 거의 모든 사람이 정말 공감 간다며 이 광고에 대해 이야기했다. 우리는 왜 그럴까? 집 밖에서 만나는 사람들에게는 그렇게 잘하면서, 왜 정작 가장 소중한 집안사람들에게는 함부로 대하는 것일까? 오죽하면 공익광고로까지 만들어 "밖에서 보여주는 당신의 좋은 모습, 집 안에서도 보여주세요"라고 우리에게 호소해야 했을까?

가슴에 손을 얹고 생각해보자. 모르는 누군가에게 그렇게 사근사근했던 우리는 정작 부모에게, 형제에게 얼마나 함부로 말해왔는가를. 아마도 가족이 편하니까 그랬을 것이다. 혹은 집 밖에서의 감정노동이 너무 버거워서, 집 안에서라도 예의의 가면을 벗어던지는 것인지도 모른다. 밖에서 불친절하면 고객이나 동료가 외면하지만, 가족은 어떻게 대해도 결국 영원히 내 편이니까 그냥 마음 내키는 대로 행동하는 것일지도 모른다. 좋게 말하면 친밀하고 편한 거고, 나쁘게 말하면 긴장감이 없는 거다.

하지만 우리가 가장 친절해야 할 사람들은 결국 가장 사랑한 사람, 가장 오랜 시간을 함께 보낼 사람, 가장 끊기 힘든 인연을 가진 사람들이다. 특히 부부는 어떤가? 처녀총각 때에는 그렇게 열정적으로 감정을 과장하더니, 어느 순간 더이상 '감정의 예의'를 갖추지 않게 된다. 그 감정의 예의란 결국 일상적인 대화로 만들어지는 것이다.

말하기의 반대말은 듣기가 아니다. 상대방이 말을 끝낼 때까지 기다리기, 말하는 사람과 눈 맞춰주기, 고개를 끄덕이고 맞장구쳐주기다. 이 원칙이 가장 쉽게 무너지는 것이 가족간, 부부간이다.

장기간의 해외여행을 함께하며 크게 다투신 우리 부모님, '고맙다'는 한마디를 욕설로 표현해야 했던 우리 할머니, 그리고 '사랑한다'고 한마디 하면 세상이 무너지는 줄 아는 한국 남자들…… 우리가 모두 잊고 사는 것이 있다. 사람의 정이란 사소한 대화로 쌓아가는 돌탑이라는 점이다. 특히 시시한 대화가 중요하다. 사람의 관계를 만드는 것은 알고 보면 별것 아닌 기억들이니까.

관계, 특히 부부처럼 매일 부딪치며 살아가는 관계를 잘 유지하는 것은 영화 대사 같은 멋진 한마디가 아니라, 그저 고맙다는 작은 말들small talks이다. 우리가 집 밖에서 수행해야 하는 감정노동의 10분의 1 정도면 충분한 작은 배려의 합이다. 좋은 관계란 어느 하롯밤에 마법처럼 뚝딱 만들어지는 동화 속의 궁전이 아닌 것이다.

왜 우리는 평생 가장 오랜 시간을 함께 보낼 사람들에게 가장 무례한가? 가족은 누구보다도 친밀하고 편한 사이라는 환상 때문이다. 바로 그 안도가 오히려 관계를 악화시킨다. 가장 친밀하다고 해서 내 마음대로 감정을 드러내도 좋다는 의미는 아니다. 가족을 약간은 어려운 대상으로 존중할 수 있는 작은 표현들이 필요하다. 서로 친밀하다고 믿을수록, 오랜 시간을 함께할수록, 상대의 감정을 배려해야 한다.

오늘부터라도 작은 배려를 보여주자. 그대에게 가장 소중한 사람의 순서대로, 밖에서 만나는 '고객님들'의 절반만이라도.

가장 친밀하다고 해서
내 마음대로 감정을 드러내도 좋다는 의미는 아니다.
서로 친밀하다고 믿을수록, 오랜 시간을 함께할수록,
상대의 감정을 배려해야 한다.

제4부

생의 반환점에 들어서려는
그대에게

인생이
아픔이었네

인생살이, 그거 패키지딜(일괄거래)이다.
기쁨, 슬픔, 즐거움, 괴로움……
한 묶음으로만 팔지, 따로따로 살 수 없더라.
김희근(벽산엔지니어링 회장)

"위기가 많았다. 내 인생은 비주류 인생이다. 아버지는 나를 보고 '외화내빈, 깡통인생'이라고 한다. 죽고 싶도록 괴로운 순간이 있는데 지나고 보면 꼭 그런 것만도 아니다."[32]

위의 글은 어느 신문에 보도된 인터뷰를 인용한 것이다. 어떤 사람의 발언일 것 같은가?

고승덕 전 국회의원의 말이다.

나는 이 기사를 읽고 깜짝 놀랐다. 적어도 고승덕 전 의원 같은 사람은 이런 말을 하지 않을 것 같았기 때문이다. 그는 서울대 법대 재학중에 사법시험, 행정고시, 외무고시를 모두 합격하고, 하버드와 예일대를 전 과목 A학점으로 졸업한 후, 컬럼비아대에서 박사학위를 받고 귀국해 주식투자전문가와 방송인으로 활약하다 국회의원이 되었다. 지금은 변호사다.

만난 적은 없지만 그의 이름은 내게 매우 각별하다.

나는 대학 졸업 후 백수로 지내면서 행정고시 공부에 '올인'했지만 또 떨어졌다. 당시 여자친구가 "1차도 안 된 거야?"라고 조심스럽게 물어왔을 때의 자괴감이란. 그 여자친구를 떠나보내고 이듬해 시험에 한 번 더 도전했으나 역시 1차부터 낙방해 피눈물을 쏟았는데, 고승덕이라는 사람은 사법, 행정, 외무 3개 고시를, 대학 재학중에 합격한 것이다. '공신(공부의 신)'이 따로 없다. 그 당시 고시생들 사이에서 그는 전설이었다.

이 인터뷰를 보고 '과도한 겸손'이라거나, 반대로 '자만이 지나치다'고 평가하는 사람도 있을 것이다. 저렇게 잘나가는 사람이 '죽도록 괴로운 순간'이 있었다고 한다면, '아직 이룬 것 없고 보잘것없는 나 같은 사람은 도대체 어떻게 살라는 것인가?'라는 생각이 절로 든다. 하지만 고승덕 전 의원이 자신의 고통을 과장했다고 속단할 근거는 없다. 아픔은 철저히 개별적인 것이기에.

인생이란 혼자서 사는 것이다. 이력서의 경력 사이사이에 괄호 쳐져 있는 고통과 좌절을 타인은 알지 못한다.

한국인 최초로 세계적인 기업인 제너럴일렉트릭GE의 최고경영진이 되고, 한국에 돌아와 삼성전자와 삼성SDI 사장을 거쳐 삼성카드의 CEO를 맡고 있는 최치훈 사장은 한 강연에서 이렇게 말했다.

"이력서만 보면 화려해 보이지만 이 자리에 오기까지 무수한 고난과 절망을 겪었다."

나는 인터뷰 기사 읽는 것을 무척 좋아한다. 그 사람의 괄호 안을 볼 수 있기 때문이다. 삶 전체가 밝게 빛나는 태양일 것만 같았던 사람이, 알고 봤더니 나처럼 어두운 뒷면을 가지고 있는 굴곡 있는 사람이라는 사실을 확인하면 타국의 오지에서 동향 사람을 만난 것처럼 반갑다.

'샐러리맨의 화신' '미다스의 손' '돈 버는 마술사' 등 화려한 수식어를 달고 다니는 윤윤수 휠라코리아 회장은 한국 휠라의 월급쟁이로 일하다 글로벌 본사를 인수해버렸고, 이후 세계 시장점유율 60%를 자랑하는 골프용품 브랜드 '타이틀리스트'를 보유한 회사 '아쿠쉬네트'를 성공적으로 합병했다. 그런 그도 아픔을 이야기한다.

어린 시절은 고생을 많이 했다. 어머님이 나를 낳은 지 100일 만에 전염병으로 돌아가셨다. 경기도 화성군 비봉면의 가난한 농사꾼이었던 아버지는 내가 고등학교 2학년 때 폐암으로 돌아가셨다. 눈을 감기 직전 '엄마 없이 자란 자식, 내가 장가가는 거라도 봐야 하니 제발 살려달라'고 애원하셨다. 그 모습에 충격을 받고 의사가 되려 서울대 의대에 도전했다. 세 번 낙방했다. 마지막엔 2지망인 치의예과에 합격했지만 적성에 안 맞아 그만두고 한국외국어대에 가 내 나이 서른에 졸업했다.[33]

우리는 서로에게 달 같은 존재다. 계속 같은 반구半球만 보여준다. 가장 밝은 면만 말이다. 그래서 우리는 상대방의 어두운 뒷면은 볼 수가 없다. 내 어둠을 아는 것은 나뿐이라는 사실은 하나의 착각을 불러일으킨다. 살면서 자세히 볼 수 있는 '어두운 이면'이란 자기 자신의 것뿐이기에, '남들은 저렇게 잘나가는데, 나만 이렇게 힘들다'는 생각을 하게 되는 것이다.

찰리 채플린은 "인생이란 멀리서 보면 희극이지만, 가까이서 보면 비극"이라고 했다. 필연적으로 남의 인생은 멀리서 보게 되고 자기 인생은 가까이서 보게 되니, 남의 인생은 즐거워 보이고 나의 인생은 슬퍼 보이는 것이다. 나는 누구를 지나치게 부러워하거나 연민하지 않으려고 한다. 그리고 다른 사람의 나에 대한 부러움이나 연민에 크게 연연하지도 않으려고 한다. 나도 그를 온전히 못 보고, 그도 나를 온전하게 보지 못하기 때문이다.

『아프니까 청춘이다』가 출간되자 만나는 중년마다 내게 말했다. "중년도 아파요. 아픈 중년을 위한 책도 써주세요." 청소년들은 또 이렇게 말했다. "청소년도 아파요. 아픈 청소년을 위한 책도 써주세요." 아내의 친구들은 또 그렇게 말했다. "주부들이 제일 아파요. 아픈 주부들을 위한 책도 써주세요."

도대체 이 나라에 아프지 않은 이, 누구란 말인가? 그렇다. 인생이 아픔이었던 것이다, 우리 모두에게 말이다.

'왜 나만 이렇게 힘들까?' 하는 생각이 드는가? 잊지 마라. 이 나라 전 국민이 그렇게 생각하며 살고 있다. 믿기지 않겠지만 누군가 당신을 부러워하면서 똑같은 생각을 하고 있다는 말이다.

힘을 내자.

소비의 정글에서
살아남기

🌿

너무, 너무 아름다운 셔츠들이야.
너무 슬퍼. 한 번도 이렇게,
이렇게 아름다운 셔츠들은 본 적이 없거든.
스콧 피츠제럴드, 『위대한 개츠비』

어릴 때 경주용 모형자동차를 무척 가지고 싶었다.

경주로를 8자로 조립하고 그 위에 작은 모형차를 놓은 후 리모컨을 누르면 쌩하고 트랙을 도는 그 장난감 세트가 목메게 갖고 싶었다. 친구네 집에서 처음 봤는데 어찌나 멋있던지! 탐이 나서 몇 달 동안 생떼를 부리다시피 졸랐는데, 이게 값이 꽤 비싸서 어머니는 끝내 사주지 않았다.

미국에서 유학할 때 큰애를 낳고 장난감 전문점에 갔다가 바로 그 경주용 자동차 세트를 봤다. 그때도 살림이 어려울 때라, 아이의 지능 발달과 정서 함양에 꼭 필요한 거라고 아내를 설득해서 겨우 샀다. 돌도 안 된 애한테 웬 모형자동차? 실은 어릴 때 못 갖고 놀았던 내 한을 푼 것이었다. 아마 아내도 눈치챘으리라.

집에 돌아와서 열심히 트랙을 조립하고 시험운전을 해봤는데, 잘 달렸다. 잠시 동심으로 돌아간 듯 흐뭇했다. 다시 분해해서 상자에 잘 넣으면서 생각했다. 자주 갖고 놀다가 아들이 크면 물려주리라고. 그러나 그것이 마지막이었다. 다시 꺼내볼 생각도 나지 않았고, 이사할 때마다 천덕꾸러기 노릇만 할 뿐이었다. 차일피일 아이에게도 물려주지 않다가 결국 버리고 귀국했다.

우리는 사고 싶은 물건이 참 많다. 백화점에 가면 반짝반짝 빛나는 상품들이 자기를 데려가달라고 애원하는 것 같다. 신용카드 끝을 손톱으로 톡톡 팅기면서 '지를까 말까'를 고민하며 많은 사람들이 오늘도 '소비의 성전'을 거닌다.

그런데 신기한 것은 정말 없으면 못 살 만큼 꼭 필요하다고 믿었던 물건들이 어느 정도 시간이 지나면 별로 쓰지 않는 물건이 된다는 사실이다. 이사할 때마다 물건을 한 보따리씩 내다버리며 나는 중얼거린다. "그때는 저게 왜 그렇게 좋았는지 몰라?" 우리가 탐내는 많은 상품들이 그 모형자동차 같은 거라고 생각한다. 한때는 눈이 뒤집힐 만큼 가지고 싶지만, 조금만 시간이 지나면 한순간에 시시해 보이는. 어릴 때는 누가 사주지 않으면 원하는 것을 가질 방법이 없다. 매우 절망스러운 상황이지만 장점도 있다. 부모님이나 어른들이 그 물건이 정말 필요한지 판단해주고 구매를 통제해준다. 하지만 소득이 생기고 지출이 자유로워지는 어른이 되면서, 사고 싶은 물건이 있으면 큰맘먹고 할부로라도 살 수 있는 여건이 된다. 바로 그 점이 양날의 칼이다. 소비를 조절해줄 사람이 곁에 없다. 스스로 통제해야 한다. 어른이 되면서 직면하는 가장 중요하고 어려운 과제 중 하나는 단연 소비다.

현대를 소비사회라고 한다. 구매욕망에 확 불을 지르는 멋진 제품이 많아졌다. 세계화의 영향으로 세계 각국의 눈부신 브랜드가 눈앞에서 넘실댄다. '소비 권하는 사회'를 살며 소비의 맛을 모르려야 모를 수가 없게 되었다.

어느덧 소비는 우리의 종교가 됐다. 물신物神을 섬기고, 브랜드를 경배하고, 쇼핑몰을 순례하고, 소비의 주기도문을 암송한다.

> 랜드마크(홍콩의 거대 쇼핑몰)에 계신 아르마니여.
> 아버지의 구두가 거룩하게 하시며,
> 아버지의 프라다가 오게 하시며,
> 아버지의 쇼핑이 파리에서 이루어진 것과 같이
> 센트럴(홍콩의 거대 쇼핑몰)에서도 이루어지이다.

오늘날 저희에게 남편의 비자카드를 주시고,

우리가 우리에게 수수료를 떼어간 자들을 용서하여준 것같이,

우리의 바닥난 은행 잔고를 용서하시고,

우리를 미쓰코시 백화점에 빠지지 말게 하시며,

윙온(홍콩의 최대 여행사)에서 구하소서.

샤넬과 고티에와 베르사체, D&G가 아버지께 영원히 있사

옵니다.

아멘스~[34]

소비자학을 연구하는 나는 현대 사회에서 우리가 당면하는 수많은 문제가 소비에서 비롯된다고 생각한다. 이를테면 옛날보다 요즘의 청춘이 경제적인 여건은 더 좋아졌는데도 더 많이 힘들어하는 것 같다. 여러 요인이 있겠지만 중요한 변화 중 하나는 요즘 젊은이들이 '소비의 맛'을 너무 일찍 알아버렸다는 것이다.

옛날 젊은이들은 소비를 잘 알지 못했다. 더 근검하고 착해서가 아니다. 워낙 전체 소득도 낮았고 좋은 상품과 유명한 브랜드가 별로 없던 시대를 살았기 때문에 소비의 재미를 몰랐던 것뿐이다. 사정이 그렇다보니 물질보다는 의미를 먼저 생각할 수 있었다. 옛날 사람들이 더 어려운 시기를 살았음에도 덜 빈한하고 덜 아프게 느꼈던 이유다. 다 같이 소비를 몰랐으니까.

반면에 요즘의 청춘들은 어릴 때부터 TV나 영화를 통해 화려한 소비생활을 너무 생생하게 보면서 자란다. TV 속의 인물들이 당연하다는 듯 누리는 넓은 집, 큰 차, 멋진 핸드백, 예쁜 옷, 아름다운 구두를 나도 빨리 갖고 싶은데, 현실에선 너무 힘드니 자꾸 조바심이 나고 소외감을 느낀다. 이것이 아픔의 한 원인이 된다.

오늘날 우리 사회가 앓고 있는 환경오염, 범죄, 인성파괴 등 여러 사회문제도 실은 이러한 소비주의와 관계가 깊다. 그래서 소비에 대한 우리의 태도를 조금만 바꾸면 많은 것을 변화시킬 수 있다. 이 사회도, 당신도.

이 글을 읽는 당신의 소비는 어떠한가? 그 물건을 왜 원했는가? 브랜드 때문인가, 유행 때문인가, 누군가를 의식했기 때문인가? 당신은 꼭 필요해서 구매했다고 항변할지 모르지만, 실은 뒤처지는 것이 싫어서, 혹은 단지 새것을 사는 기쁨에, 혹은 누군가 자기를 다르게 보아주기를 바라면서 카드를 꺼내들었는지도 모른다. 계산대 앞에서, 우리는 모두 거짓말쟁이다.

어떻게 하면 이 소비의 정글에서 살아남을 수 있을까? 물론 우리 모두 철저하게 금욕주의자가 되자고 주장하는 것은 아니다. 나도 좋은 물건이 좋다. 기분이 좋아지고 생활도 편리해진다. 흔히

'행복과 소비는 관계가 없다'고 말하는데, 그렇지 않다. 연구에 따르면 소득과 소비가 개선되면 행복도 증가한다. 나라를 막론하고 그렇다. 그렇지만 한 가지 중요한 사실은 그것이 일정 수준까지만 그렇다는 점이다. 대략 월 400만원까지는 소득이 증가할수록 행복도가 비례해서 올라가지만 그 이상은 큰 상관관계가 없다. 또 잘사는 나라의 국민이 못사는 나라의 국민보다 행복의 수준이 더 높지도 않다. 이를 '이스털린의 역설Easterlin's paradox'이라고 한다.

이스털린의 역설이 의미하는 사실은, 우리 모두가 어느 수준부터는 물질로 인해 별로 더 행복해지지 않는데도, 더 좋은 물건을 갖고 싶다고 스스로를 들볶게 된다는 것이다. 어느 순간부터는 소비가 우리를 편리하고 행복하게 만드는 도구로 쓰이는 것이 아니라, 소비 그 자체가 목적이 되어버린다.

많은 사람들이 남과의 경쟁에서 뒤처지지 않으려고 새로 유행하는 '신상'을 산다. 우울한 기분을 떨쳐버리려고 쇼핑몰을 돌아다닌다. 무리해서 구입한 소위 명품이란 결국 남들의 무시를 막아주는 갑옷이고, 자기가 취향 있는 계층이라는 것을 과시하는 훈장이며, '나는 멋지다'는 환상을 심어주는 가면이다.[35]

무언가를 구매하는 행위 자체가 좋아서 충동적으로 또는 그냥 재미로 지갑을 열기도 한다. 이런 잉여분의 소비가 바로 우리를 행복하게 만들지도 못하면서, '지르게' 만드는 중독형 소비다.

마시면 마실수록 목마르게 하는 바닷물처럼 오히려 더 큰 소비의 갈증으로 몰아넣어 되레 더 불행하다고 느끼게 하는 역설의 소비다.

어른에게 필요한 가장 중요한 교육을 들라면 나는 '소비자교육'이라고 말하고 싶다. 경제교육이 아니다. 소비자교육이다. 올바른 삶을 살기 위해서는 먼저 올바른 소비자가 되어야 하는 시대이기 때문이다.

어른이 되어서 제일 좋은 점 중의 하나는 누군가에게 돈을 타내지 않고 눈치 보지 않고도 원하는 물건을 살 수 있다는 것이다. 소비는 우리가 어른이 됐음을 확인할 수 있는 가장 확실한 징표의 하나다. 하지만 반대로 소비는 우리가 행복한 어른이 되기 위해 넘어야 하는 가장 확실한 장애물이기도 하다. 앞서 말했듯이 간섭하는 사람이 줄어들어 오히려 소비의 욕망을 통제하기 어려워지기 때문이다.

'무욕無慾이 위엄을 만든다'고 했다. 필요한 게 없는 사람이 무서운 이유는 무엇에든 당당하게 임할 수 있기 때문이다. 사심을 가지지 않고 본질적인 즐거움에만 집중할 수 있기 때문이다.

어른의 욕망 중에서 가장 보편적이고 강렬한 것이 소비이다. 따라서 소비에 대한 욕망을 조금만 줄이면 위엄 있게 살 수 있다. 인생 앞에 비겁해지지 않고 당당할 수 있다. 물건 살 돈을 조금만 더 아끼면 자기 자신에게 투자할 수 있는 시간과 여유가 생긴다. '무엇이 인생에서 나를 진정으로 행복하게 하는가?'에 대한 진지한 성찰과 실천이 가능해진다.

"이거 주세요" 하고 쿨하게 말하기 직전에 스스로에게 딱 세 가지만 묻자.

하나, 이것은 정말로 내게 필요한 물건인가?

둘, 이것은 합리적인 가격인가?

셋, 한 달 후에도 나는 이것을 지금처럼 간절하게 원할 것인가?

셋 중 하나라도 자신 있게 예라고 답할 수 없다면, 과감히 돌아서라.

소비의 중용 속에 성장과 행복의 답이 있다. 당신은 어떻게 살買 것인가, 또 어떻게 살生 것인가?

남의 눈

나는 못 보고 타인들만 보았지
내 안은 안 보이고 내 바깥만 보았지

눈 없는 나를 바라보는 남의 눈들 피하느라
나를 내 속으로 가두곤 했지
유안진, 「내가 나의 감옥이다」

유학할 때와 연구교수로 일할 때, 미국에서 산 적이 있다. 두 번 모두 아내와 함께 머물렀다. 한 가지 공통된 기억은 집사람이 외출할 때의 차림이 미국에선 사뭇 달랐다는 점이다.

미국에서는 통이 넓은 치마에 티셔츠 하나 걸치고서 슈퍼마켓에도 가고 애들 데리러 학교에도 갔다. 아주 특별한 일이 있지 않으면 화장도 별로 하지 않았다. 그런데 한국에 와서는 집 앞 편의점에 갈 때에도 정성스럽게 화장하고 옷도 잘 차려입는다.

집사람만 그런 것 같지도 않다. 한번은 연구교수 시절 알고 지내던 유학생 부부를 동네에서 우연히 만났는데, 그 부인을 보고 깜짝 놀랐다. 늘 보았던 펑퍼짐한 트레이닝복 차림이 아니라, 그냥 산책 나오는 길이라는데 아주 멋지게 성장盛裝을 하고 있었다. 처음 엔 그 유학생이 새 부인을 얻은 줄 알았을 정도였다.

며칠 전 둘째아이 학교에 간다고 열심히 얼굴에 그림을 그리고 있던 아내에게 물었다.

"왜 미국에서 애들 학교 갈 때는 안 하던 화장을 여기서는 그렇게 열심히 하지?"

아내의 너무나도 간명한 대답.

"여기는 보는 눈이 많잖아."

재미있다. 미국 사람의 눈은 보는 눈이 아니고, 한국 사람의 눈 만 보는 눈인가? 집사람만 탓할 일도 아니다. 생각해보니 나도 그 런다. 미국에서는 아들의 모양새에 전혀 상관하지 않던 나도, 한국 에서는 꼭 잔소리를 하게 된다.

"머리 꼴이 그게 뭐냐? 창피하게."

그러고 보니 누군가를 책망할 때, 꼭 누군가를 의식하는 말이 꼬리에 붙는다.

"이걸 성적이라고 받아왔냐? 남부끄럽게."

"제발 옷 좀 그렇게 입지 마, 남사스럽게."

"역시 명품으로 사길 잘했어. 다들 보는 눈이 다르더라니까?"

집 근처 우면산에 가보면 다들 옷차림이 무척 화려하다. 요즘 아웃도어 의류는 무척 비싸다. 디자인도 디자인이지만 첨단 소재를 써서 그렇단다. 다들 히말라야에 올라도 될 만한 복장으로 동산에 오른다. 5월에 동네 뒷산에서 조난이라도 당할까봐 그런 기능성 등산복을 장만한 것은 아닐 것이다. 결국 '남의 눈' 때문이다. 꿀리기 싫으니까.

확실히 우리나라 사람들은 '남의 눈'에 민감하다. 아니 외국에서는 별로 타인에게 신경쓰지 않다가도 우리나라에만 돌아오면 도로 예민해진다. 마치 스포트라이트를 받는 연극배우처럼 관객들이 내 일거수일투족을 자세히 보고 있다고 생각한다. 이런 것을 조명효과spotlight effect라고 한다.

이 조명효과에 대한 심리실험이 있었다. 젊은 대학생이 입기는 민망한 티셔츠를 실험대상 학생에게 입히고, 그가 만난 동료 대학생 중 몇 퍼센트 정도가 자신이 어떤 셔츠를 입었는지 기억할 거라고 생각하느냐고 물었다. 본인은 절반가량인 48% 정도가 자기 옷을 기억할 것이라고 응답했지만, 실제로 학생들에게 물으니 그 티셔츠를 기억한 친구는 8%에 지나지 않았다.

이 실험이 의미하는 바는 분명하다. 서울대 심리학과 최인철 교수의 말을 빌리면 "우리는 다른 사람들이 나를 주시하고 있다고 생각하지만, 정작 우리를 보고 있는 것은 남이 아닌 바로 자기 자신이다."[36]

남들은 당신이 생각하는 것보다 당신에게 별 관심이 없다. 그런데도 우리는 타인의 시선을 스스로 만들어내고 거기에 맞추려고 혼자 그렇게 안달하며 살고 있다. 우리가 그 '남의 눈'에서 조금만 자유로울 수 있다면 많은 것이 달라진다.

우리나라는 소득 수준에 비해 행복도가 무척 낮다. 여러 원인이 있겠지만, 행복의 척도를 자기 기준이 아니라 남의 시선에 두는 경향이 크기 때문이 아닐까.

가장 중요한 것은 '자신의 철학'이다. 사실 나이가 들어가면서 삶의 가치에 대해 이야기하기가 점점 더 어려워진다. 성장과 성취가 중요한 젊은 시절에는 목표가 확실하게 존재하기 때문에 그 목표를 따르는 것으로 삶의 의미를 부여하면 됐다. 하지만 그 목표가 어느 정도 이루어졌거나 멀어졌거나 흐려지고 난 이후에는 '왜 사는가'에 대한 대답이 오히려 궁색해진다. 그러니까 자꾸만 다른 사람은 어떤 생각을 하는지, 다른 사람은 나를 어떻게 평가하는지, 신경을 곤두세우게 되는 것이다. 하지만 대한민국처럼 끊임없이 비교하고 또 비교당하는 사회에서 남의 눈만 의식하고 살다보면 뫼비우스의 띠를 걷듯이 무의미한 자기과시를 반복하게 된다.

어른이 된다는 것, 그것은 자기만의 확고한 주관과 철학을 만들어간다는 것이다.

최근 정신과전문의 정혜신 박사와 심리기획자인 이명수 '마인드프리즘' 대표의 인터뷰 기사를 읽다가, 요즘 세상 사람들이 칭송하는 남성적인 매력의 상징 '식스팩'이 별로라는 정혜신 박사의 말에 눈길이 갔다. 아니, 대체 왜?

"요즘 식스팩 얘기들을 하는데, 저는 물리적으로 완벽하거나 근육질인 남자를 보면 섹시함을 느끼지 못해요. 그걸 유지하기 위해 일상의 몇 시간을 쓰는 게 한심한 거예요. 그런데 얘기하고 생각을 나누다보면 쾌감을 느껴요. 저는 화를 잘 내는 남자가 좋은데요, 사람이 자기 경계를 침범당했을 때 본능적으로 감정적 반응을 하거든요. 누가 나를 침범하면 화를 내야 하는데, 그걸 못 하는 사람들이 많아요. 맨날 성격파탄자같이 울뚝불뚝 화를 낸다는 게 아니라, 화를 낼 수 있는 기능이 살아 있는, 그러니까 자기 경계에 대한 인식이 분명한, 그런 사람이 섹시한 것 같아요."[37]

식스팩이 남들의 시선에 따른 가치라면, 자기 경계를 인식한다는 것은 개인의 철학과 주관에서 나오는 것일 테다. 어른에게 식스팩을 키우는 것보다 좀더 급하고 중요한 건 자기 경계를 명료하게 인식하는 일이 아닐까? 자기만의 주관과 철학으로 단단한 세계를 건축한 사람은 그 누구보다 섹시하고 당당하다.

세계를 정복했던 나폴레옹은 "내가 진정 행복했던 날은 일주일도 되지 않는다"고 했는데, 3중장애를 안고 살았던 헬렌 켈러는 "행복하지 않았던 날은 단 하루도 없었다"고 말했다.

우리는 함부로 타인의 행복과 가치관을 평가할 수 없다. 남의 평가나 동정에 연연하지 않는 자기만의 주관이 만족과 감사를 낳고 그것이 행복감과 이어진다.

혹시 스스로는 만족스럽고 좋은데, 그 실체도 알 수 없는 '제3자'의 시선에 맞추느라 주위를 두리번거린 적은 없는가? 지금 자라나고 있는 당신의 불만이 혹시 누군가를 지나치게 의식하기 때문에 생겨난 것은 아닌가?

물론 현 상태에 만족하지 않고 세상 속에서 스스로를 분발하게 하는 것은 자기 성장을 위한 매우 소중한 덕목이다. 또 우리의 자아개념이란 본래 타인의 시선과 인정으로 구성되는 거울 같은 것이라는 이론도 있다. 하지만 내 삶의 방식을 믿고 좀더 행복해지기 위해서는 남의 시선에서 자유로워져야 한다. 특히, 이 땅에서는. 그때 비로소 타인의 눈치를 보며 애먼 곳에 쏟아부었던 돈과 시간과 노력을, 오롯이 진정한 자기 행복을 위해 사용할 수 있을 것이기 때문이다.

묻는다.

당신은 오늘, 자기 행복의 주인인가, 남의 시선의 노예인가?

당신의 철학은 무엇인가? 그것을 실행해나갈 충분한 용기를 지녔는가?

취미,
일생의 벗

"교수님은 주말이나 여가에 주로 무엇을 하십니까?"

처음 만나는 사람에게 자주 받는 질문이다. 별로 고민할 것도 없이 대답한다.

"글씁니다."

조금 놀라는 표정. 이어 되돌아오는 질문.

"글쓰는 일 말고, 취미 같은 건 없으세요?"

나는 주저하지 않고 다시 대답한다.

"요즘엔 취미, 없습니다. 불쌍하죠?"

나도 대학 시절에는 여대 앞 클래식 다방에서 DJ를 할 만큼 음악을 좋아하기도 했다. 베토벤 교향곡처럼 자주 듣는 곡은 제목 정도가 아니라 지휘자나 연주자를 맞히기도 해서 친구들의 감탄을 샀다. 오디오를 좋아하셨던 아버지의 영향으로 좋은 전축에 관심도 많았다. 물론 지갑은 얇고 집사람이 무서워서 항상 침만 삼키고 말았지만 말이다. 오디오 마니아의 3대 적이 윗집, 아랫집, 사모님이란다. 골프도 조금 쳐봤다. 미국에서 연구교수로 있을 때 배웠는데, 귀국하고 나니 시간과 돈이 너무 많이 들어 거의 하지 못했다.

취미라, 잊고 산 지 벌써 오래인 것 같다. 요즘 유일한 휴식이자 놀이는 신문을 정독하는 것이다. 나는 다양한 논조의 일간지 네 종을 구독한다. 가벼운 음악을 틀어놓고 편한 자세로 누워 신문을 뒤적이는 것이 내겐 제일 편안하고 재미있다. 그러고는 나머지 시간은 전부 글쓰고 강의 준비하고 프로젝트 진행하고 학교행정업무 처리하는 데 쓴다.

하지만 취미랄 것도 없는 내 일상이 엄살떨 만큼 비참하지는 않다. 일이 제법 재미있기 때문이다. 일에서 재미를 느끼니 별도로 재미를 찾기 위한 취미생활이 그다지 필요하지 않게 됐다고 할까? 그래도 어느 순간, 내겐 순전히 재미만을 위해 즐길 수 있는 일이 아무것도 남아 있지 않다는 생각이 불현듯 들 때, 조금 서럽다.

나이 들면서 취미가 없어지는 나 같은 사람은 사실 예외적인 것 같다. 대부분의 어른들이 본격적으로 자기만의 취미를 하나씩 찾아나선다. 색소폰, 디지털카메라, 등산이 중년의 '취미 3종 세트'라고 한다. 풍류와 기록과 건강을 챙기려는 것이다.

신세대 아빠들은 옛날 '아부지'들보다 훨씬 가족적이어서 캠핑과 같은 취미도 많이 보급됐다. 패러글라이딩이나 암벽 등반처럼 위험을 무릅써야 하는 스포츠도 인기다. 할리 데이비슨 바이크를 타는 것이 노년의 로망이라는 사람도 자주 만난다. 야구장은 남녀노소를 막론한 열정의 해방구로 자리잡았다.

한국독서경영연구원의 다이애나 홍 원장은 인생에서 '다섯 친구'를 만들라고 조언한다. 운동, 여행, 영화, 음악, 독서가 평생을 동반할 좋은 친구라는 것이다.[38]

취미생활은 중요하다. 인간은 자기다울 때 가장 행복한 법인데, 급여를 위해 나답지 않은 일을 할 때보다는 스스로 즐거워서 찾는 취미를 즐길 때야말로 내가 가장 나다워지는 순간이기 때문이다. 어른의 취미는 노동의 공허를 메워준다. 어떻게 살든 삶의 권태는 필연이니까.

"당신의 취미는 무엇입니까?"

이렇게 물으면 사람들의 대답은 각양각색일 것이다. 그러나 막상 사람들이 실제로 가장 많이 시간을 쓰는 여가활동을 조사해보면 단연 TV 시청이 압도적이다.

우리나라는 TV 공화국이다. 음식점에 가도, 목욕탕에 가도, 고속버스를 타도, 사람이 모이는 곳에는 여지없이 TV가 켜져 있다. 심지어는 운전하면서 DMB로 TV를 보다가 교통사고를 유발하기도 한다. 집집마다 습관처럼 TV를 켜둔 채로 청소하고 빨래하고 밥을 먹는다. 혼자 사는 사람들은 적막이 싫어서 고독감을 지우려고, 혹은 바깥에 말소리가 들리게 하려고 항상 TV를 켜두기도 한다.

내가 한국 사람이어서인지 몰라도 우리나라 TV 프로그램은 유난히 재미있다. 너무 재미있어서 탈이다. 드라마, 예능, 토크쇼, 개그는 물론이고 시사, 뉴스, 다큐멘터리까지 재미있다. 프로그램들이 다 엇비슷해 보여도 조금씩 성격이 달라서, 여기저기 보고 있자면 시간 가는 줄 모르겠다. 예전에는 방송이 재미없으면 TV를 꺼버리면 그만이었는데, 요즘은 채널이 워낙 많아서 여기저기 돌리다보면 시간이 훌쩍 가버리고, '다시보기'를 통해 특정 프로그램을 처음부터 몰아서 볼 수도 있다.

이렇게 재미있는 프로그램을 만들어주는 방송 관계자들에게는 미안한 말이지만, TV는 게으른 자의 마지막 취미다. 물론 피곤한 현대인들에겐 가장 쉽고 간편한 취미가 TV일지 모른다. 하지만 몸을 쓰지 않는다고 피곤이 풀리진 않는다. 주말 내내 집에서만 뒹굴다가 출근한 월요일, 오히려 몸은 더 무겁고 월요병도 심해지지 않던가?

아프리카 원주민들에게 극장에서 영화를 보여줬다고 한다. 10분도 되지 않아 그들은 전부 밖으로 뛰쳐나왔다. 그들에게 재미란 춤추고 노래하고 뛰어노는 것이지, 깜깜한 공간에 옴짝달싹하지 않고 앉아서 멀뚱멀뚱 영상을 보는 게 아니었던 것이다.

재미는 체험에서 온다. TV를 끄고 집 밖으로 나서면 '진짜 재미'를 체험할 수 있는 기회가 널려 있다. 나를 좀더 현명하게 해줄 지식을 쌓고, 내 시간을 더 풍성하게 채울 수 있는 다양한 경험을 하며, 때로 인생을 성찰할 수 있는 약간의 휴지(休止)와 여백을 갖는 일, TV를 치우고 나면 이런 일들이 가능해진다.

그런 측면에서 TV는 위험한 취미다. 접근이 쉽고 마냥 재미있기 때문이다. TV를 켜기는 쉽지만 끄기는 쉽지 않다. 전형적인 '시간도둑'형 취미다. TV홈쇼핑에서 간장게장 같은 것을 팔 때, '밥도둑'이라는 표현을 쓴다. 게장을 반찬 삼아 밥을 먹으면 저도 모르게 밥그릇을 뚝딱 비우게 되기 때문이다. 하지만 시간도둑은 큰 재미를 느낀 것도 아닌데, 어느 순간 돌아보면 시간의 그릇만 텅 비어 있다. 시간 때우기용, 혹은 중독형 여가생활인 것이다. TV와 비슷한 또다른 시간도둑으로는 게임이 있다.

이 풍요로운 세상에 드러누워 리모컨만 쥔 채 시간을 죽인다는 건 너무 슬프다. 바늘도둑이 소도둑 되듯, 시간도둑이 '인생도둑' 될 수 있다.

∽

인간은 몰두하는 동물이다. 우리는 모두 우리가 몰두하는 그 무엇이다. 취미는 어쩌면 일보다 더 중요한 몰두다. 우리가 진정 행복하고 인간답다고 느끼는 건, 역시 놀 때이다. 그 귀한 여가생활을 따분함을 해소하는 수단으로, 시간을 그저 흘려보내기 위한 방편으로, 공허를 극복하는 도구로 쓰지 않았으면 좋겠다. 그러다보면 언젠가부터 내가 취미를 즐기는 것이 아니라 취미가 나를 소모하는 상황에 빠지게 된다. 중요한 것은 내가 이 여가활동을 통해서 얼마나 더 새로운 재미를 느끼고, 또 그 경험을 통해 얼마나 성장할 수 있느냐다.

　서점과 음반가게에 가면 '죽기 전에 꼭 해야 할 ○○○가지'라는 제목을 단 시리즈가 많이 나와 있다. 저렇게 '버킷 리스트'를 만들어 책이나 음반을 구매하게 만들겠다는 제작자의 속셈이 영리하다는 생각도 들지만, 한편으로는 내심 놀란다. 내가 죽기 전에 '꼭' 경험해야 할 재미나는 일들이 그렇게도 많다니.

　자신의 여가를 냉철하게 돌아보라. 그것이 진정 자신을 행복하게 해주고 있는지, 아니면 단순한 시간도둑인지 점검하라. 만약 시간도둑이라는 판단이 서면, 좌고우면左顧右眄하지 말고 가차 없이 끊어라. 그리고 떠나라. 날마다 자신을 새로운 경험과 감정 속에 빠뜨릴 수 있는 재미를 찾아나서라. 진짜 나를 발견하라. 좋은 취미는 일생의 벗이다.

결핍이
나를 돌아보게 한다

※

"병이 있어야 오래 산다."

역설이지만 나는 이 말을 철석같이 믿는다. 개인적인 경험 때문이다.

아버지는 무척 건강한 분이었다. 잔병치레 한번 하지 않았다. 바둑을 무척 즐기셨는데, 친구분들과 밤새워 바둑을 두다가 아침이 되면 아무렇지 않은 듯 출근하셨다. 내가 기억하는 아버지의 얼굴엔 언제나 건강한 붉은빛이 돌았다.

1987년 초겨울 어느 날, 집에 왔는데 아버지가 안 계셨다. 병원에 입원하셨다는 것이다. 놀라서 달려가보니 의외로 병실에서 과일을 드시며 즐겁게 TV를 보고 계셨다. 낮에 계단을 오르다가 어질어질해서 넘어질 뻔했는데, 아무래도 빈혈인 것 같아서 약이라도 받으려고 병원에 왔더니 자세한 검사를 해보자고 입원시켰다는 것이다. "넘어진 김에 쉬어간다고, 바쁜 일도 없는데 오랜만에 며칠 쉬는 기분이 아주 좋다"고 하셨다.

평소에 워낙 건강하셨던데다가 그날도 컨디션이 무척 좋아 보이셔서 나는 별로 걱정하지 않았다. 며칠 후 의사가 나에게 '보호자 좀 보자' 했다. 내가 아버지의 '보호자'라는 사실이 내심 신기하고 머쓱하다는 생각을 하며 따라갔는데, 의사가 청천벽력 같은 얘기를 했다.

"폐암 4기입니다. 이미 손을 쓸 수 없는 상태입니다."

믿을 수가 없었다. 이토록 엄청난 이야기를 저리도 차분하게 전하는 의사가 목을 졸라버리고 싶을 만큼 미웠다. 아버지는 그때까지 기침도 거의 하지 않을 만큼 건강하셨다. 그런데 암 초기도 아니고 4기라니! 병원에서는 퇴원을 권했다. 치료할 방법이 없다는 의미였다. 한 6개월 정도 더 사실 수 있을 것이라고 했다.

정말로 아버지는 그날부터 무슨 마법에 걸린 것처럼 야위어가더니 5개월 후에 돌아가셨다. 참말로 건강하던 아버지가, 그렇게 황망하게 세상을 떠났다.

아버지와 동갑인 집안의 어르신 한 분이 젊어서부터 만성신장염을 앓았다. 그분과 겸상한 적이 있는데, 깜짝 놀랐다. 무염식, 그러니까 소금이 거의 들어가지 않은 식사를 하셨는데 너무나 맛이 없었다. '소금처럼 세상에 꼭 필요한 존재가 되라'는 말이 있는데, 소금이 얼마나 중요한 존재인지 그날 깨달았다. 어떻게 맨날 이런 음식만 드실까 하는 생각이 절로 들었다. 그때 어르신께서 내 마음을 읽으셨는지, "외식하는 것이 힘들어서 그렇지 익숙해지면 이것도 먹을 만해" 하시며 아무것도 바르지 않은 김을 맛있게 드셨다. 어르신은 상태가 호전된 이후에도 지병 때문에 담배를 피우지 않고, 술도 맥주 한 병 이상 마시지 않았다. 매일매일 걷고 등산하며 건강을 관리했다.

며칠 전에도 어르신을 뵈었다. 금년이 팔순인데, 여전히 정정하시다. 아버지와 동갑이어서인지, 이 어른을 뵐 때마다 아버지 생각이 많이 난다. 살아 계셨더라면 올해가 팔순이셨겠구나……

건강했던 한 분은 일찍 돌아가셨고, 지병이 있던 다른 한 분은 팔순에도 골프를 즐기며 사신다. 나는 아버지에게도 만약 관리가 필요한 지병이 있었다면, 그래서 밤새워 담배를 몇 갑씩 피우며 바둑 두는 일 따위를 하지 않으셨더라면, 훨씬 더 오래 사실 수 있었을 것이라는 생각을 한다. 그랬다면 우리 어머니도 그렇게 일찍 홀로되지 않으셨을 것이다. 나는 아버지의 건강이 밉다.

그래서 나는 철석같이 믿게 되었다. 사람은 병이 있어야 오래 산다고.

⟫

2011년 말 초겨울 어느 날, 드디어 올 것이 왔다. 허리를 또 삐끗한 것이다. 무거운 것을 들다가 그런 것도 아니었다. 밀린 글을 쓴다고 며칠 책상에만 앉아 있다가 가벼운 스트레칭을 하는데 갑자기 허리에 심한 통증이 왔다. 정형외과 의사인 동서가 멀리서 달려와 마사지를 해주고, 테이프를 붙여주고, 주사를 놔주고, 진통제를 먹이고, 온갖 응급처치를 해준 덕분에 그나마 상당히 호전되었다.

사람 마음이 참 간사하다. 아플 때는 무엇이든 다 하겠다고 굳게 마음을 먹었는데, 증세가 완화되니까 마음이 조금씩 달라졌다. 동서가 신신당부한 주의사항들을 슬그머니 지키지 않았다.

여전히 허리가 뻐근하던 어느 주말에 가족들과 함께 스키장에 갔다. 아픈 허리로 스키를 타는 건 불가능해서 애당초 포기했지만, 운전이 문제였다. 막히는 고속도로 위에서 몇 시간을 쭈그리고 앉아 있었더니, 상태가 훨씬 더 악화되었다. 서도, 앉아도, 누워도 허리가 아팠다. 겨우겨우 누우면, 혼자서는 돌아누울 수도 다시 일어날 수도 없었다. 사진을 찍어보니 역시 디스크였다. 앓아본 사람은 그 고통을 안다. 정상적인 생활이 완전히 불가능해졌다. 마침 방학이었기에 망정이지, 수업도 못 할 뻔했다.

그제야 나는 '성실한' 환자가 되었다. 꼬박꼬박 병원에 가서 물리치료를 받고, 약도 제때 먹었다. 특히 그 자체로 고역인 '프롤로' 주사(인대강화주사)도 꽤 성실히 맞았다. 고농도 포도당을 섞은 주사액을 허리와 등의 인대 여기저기에 깊이 넣는다. 따끔한 예방주사 같은 것하고는 차원이 다르게 아팠다. 둘째 녀석도 자세가 별로 좋지 않아서 한번은 내가 프롤로 주사 맞는 모습을 보여줬다. "자세를 바로 하지 않으면 너도 늙어서 이런 주사 맞아야 한다"고 협박할 작정이었다. 굵은 주삿바늘이 내 몸속 깊숙한 곳을 30번가량 들락날락할 때, 한겨울에 침대시트가 땀으로 흠뻑 젖도록 끙끙거리며 아빠가 주사 맞는 모습을 지켜보던 둘째 녀석은 얼굴이 하얗게 질렸다. 하지만 안타깝게도 그 후에도 아이의 자세는 별로 바뀐 것 같지 않다. 며칠 애쓴다 싶더니 이내 예전 그대로다. 아마도 자기가 직접 아파봐야 자세를 바로 하려는 노력을 시작할 것이다.

아버지의 장례식 날, 나는 두 살 손아래 남동생과 함께 담배를 끊기로 굳게 약속했다. 더이상 어머니에게 이런 고통을 드려선 안 되겠다는 생각이 들었기 때문이다. 하지만 20대 초반 사내 녀석들의 의지란 재떨이에 부스러지는 담뱃재만큼이나 유약했다. 부끄럽게도 나도, 아우도 며칠 지나지 않아 다시 담배를 피웠다. 사람은 무엇이든 제가 직접 경험하지 않으면 제대로 깨닫지 못하는 법인가보다.

아무튼 그렇게 두 달여를 고생한 끝에 불편하나마 일상생활이 가능할 정도로는 회복이 됐다. 디스크는 나쁜 습관 때문에 생기는 병이다. 나쁜 자세, 운동 부족, 복부 비만 등이 허리 병을 키운다. 그러니까 어떤 극적인 완치를 바라기보다는 생활습관을 바꾸어 재발하지 않도록 관리해나가는 것이 중요하다.

그래서인지 그 악몽 같던 '디스크의 추억' 이후 요지부동 개선되지 않던 내 생활이 조금 바뀌었다. 일주일에 세 번은 운동하고 음식도 끼니마다 4분의 1 정도는 줄이려고 노력한다. 물론 바쁜 일상과 잦은 외식 때문에 쉽지는 않다. 하지만 예전과 달라진 것이 있다. 예전에는 결심이 흐려지고 생활습관이 흐트러지면 그냥 포기하고 원상태로 돌아갔는데, 이제는 다시 마음을 다잡고 새로 시작한다.

지금도 허리는 별로 좋지 않다. 한 시간 넘게 의자에 앉아 글을 쓰면 무척 고통스럽다(이 글도 수십 차례 앉았다 일어났다를 반복하면서 겨우 쓴다). 하지만 나는 이 원수 같은 디스크가 종국에는 나를 살릴 것이라고 생각한다. 허리 병이 있는 한, 나는 적게 먹고 많이 움직여야 한다는 건강의 철칙을 잊지 않을 것이기 때문이다. 그런 점에서 디스크는 내게 선물이다.

젊었을 때의 건강은 어느 정도 타고나는 것이지만, 어른이 되면 건강은 상이고 질병은 벌이다. 그동안 어떤 생활을 해왔느냐를 보여주는 성적표인 셈이다. 유전이 아니라 관리의 문제인 것이다. 심지어는 큰 병을 얻고 나서 비로소 자기 관리를 실천하면서 삶을 바꾸어나가는 분들도 있다.

이제 막 어른이 된, 한창 젊은 당신에게는 건강관리가 낯선 이야기일 수 있다. 그러나 우리나라의 40대 남성 사망률이 세계 1위다. 건강할 때 건강의 소중함을 알지 못하고 과음에 과로에 스스로를 내팽개쳐두다가 자초한 일이다. 이 책을 쓰기 위해 인터뷰한 3, 40대의 거의 대부분이 크고 작은 건강상의 문제를 가지고 있었다. 벌써 하나둘 경고등이 켜지고 있는 것이다.

어느 노인학의 대가는 이렇게 경고한다.

"병은 쾌락의 이자利子다."[39]

'병이 있어야 오래 살 수 있다'는 역설이 현실에서 종종 맞아떨어지는 것은, '결핍이 가져다준 겸손함' 때문일 것이다. 지병은 몸 앞에 겸손을 가르친다. 꾸준한 관리를 실천할 수 있게 한다. 지병은 늘 스스로를 돌아볼 수 있게 해준다.

사람은 본디 '직접' 그리고 '지금' 겪지 않으면 학습하지 못하는 어리석은 존재다. 누구나 꾸준한 자기 관리가 건강의 관건임을 알면서도, 당장 아프지 않으면 실천하지 못한다. '나는 아직 건강하다'는 자만이 건강에 대한 무관심과 나태를 부르고, 기어이 큰 병으로 이어지고 만다. 하지만 당장 아픈 곳이 있으면 어느 정도 자신을 채근할 수 있다.

한발 더 나아가면 이는 꼭 건강에만 적용되는 원칙은 아닌 것 같다. 인생 전체를 관통하는 인과율이랄까? 다시 말해서 지병이 건강관리를 할 수 있는 겸손함의 원천이라면, 결핍은 탁월한 성취를 위한 분발의 계기가 된다. 물론 결핍이 열등감이 되어 비뚤어진 심성으로 돌변할 수도 있다. 그런 경우를 우리는 종종 목격한다. 반면에 그 결핍을 인정하고 자신의 생애 앞에 겸손해질 줄 아는 사람은 더 높은 삶의 성취를 이룬다.

남들에 비해 나만 모자라는 게 많다는 생각이 드는가? 주위를 찬찬히 둘러보자. 누구에게나 남들에게 차마 말하지 못하는 결핍이 있다. 그것을 어떻게 짊어지고 가느냐에 따라 한 사람의 인생은 분명히 궤도를 달리한다. 자신에게 주어진 시간을 소중히 여기고 겸허하게 시련에 맞설 때, 세상을 바라보는 시야는 확연히 넓고 깊어진다.

삶은 겸손해질 줄 아는 자들에게 분명 '제2의 인생'을 선물해준다는 것을 기억하라.

고졸 학력으로 OB맥주 사장직에 올라 학벌 극복의 입지전을 쓴 장인수 대표는 인터뷰에서 부족함이 자신을 키웠다고 말했다.

"저는 남보다 모자란 게 많은 고졸 출신이라 더 많은 노력을 했습니다. 부족함이 많았기 때문에 부족함을 보완하기 위해선 '더'가 더 많이 필요했죠. 그만큼 더 긴장하고 더 노력하면서 달려왔고, 앞으로도 그럴 거예요."[40]

장 대표뿐만이 아니다. 자기 영역에서 일가를 이룬 사람들의 인터뷰를 보면 하나의 공통점을 찾을 수 있다. 많은 사람들이 객관적 조건이나 재능의 열세, 인종 차별 같은 사회적 불평등을 극복하기 위해 남보다 훨씬 더 노력했고, 그 노력이 결국 그를 현재의 그 자리에까지 이르게 했다고 고백한다.

그렇다면 건강이든 성공이든, 결국 열쇠는 자신의 결핍을 받아들이는 겸손함이 아닐까? 지병이나 약점을 있는 그대로 인정하고, 그것을 만회하기 위해 꾸준히 자기를 관리해가는 겸손함. 삶의 속도가 지나치게 빨라진다 싶을 때, 우쭐하지 않을 수 있게 경보음을 삐삐 울려주는 과속 방지 같은 겸손함.

　종종 지나침은 모자람보다 더 큰 해악이 된다. 어느 철학자의 말대로 요즘은 결핍이 결핍되어 있다.

　그대의 지병은 무엇인가? 당신의 결핍은 무엇인가? 그것을 겸손함으로 감싸 안아라. 그때 비로소 그대의 지병과 약점은 장수와 성공의 장해가 아닌 비결이 된다.

　나는 오늘도 마음에 쓴다.

　병이 있는 사람이 장수하고, 약점이 많은 사람이 성공한다고.

이제 인생시계는
던져버려라

아흔여덟에도
사랑은 하는 거야
꿈도 많아
구름도 타보고 싶은걸
시바타 도요,[41] 「비밀」

『아프니까 청춘이다』에서 '인생시계'라는 개념을 기억하는 이들이 많다. 에피소드도 참 많다. 인생시계는 사람의 일생을 하루 24시간으로 보고 현재의 나이를 시간으로 표시해보자는 것이다. 한국인의 평균수명이 80세 정도 되므로, 절반인 40세는 24시간의 절반인 12시, 50세는 오후 3시, 60세는 저녁 6시 하는 식이다. 이후 처음 보는 사람과 명함을 주고받으며 인사를 나눌 때, "인생시계로 12시 18분인 ○○○입니다" 하고 자신을 소개하는 분도 자주 만났다.

어느 지방자치단체 도서관에서 주최한 '저자와의 대화' 행사에 갔더니 도서관 앞마당에 커다란 원판형 인생시계를 만들어놓고 지나가는 사람마다 자기 시간을 계산해보는 행사를 하고 있었다. 또 생년월일을 입력하면 현재의 인생시간을 알려주는 스마트폰 애플리케이션도 여러 개 나왔다. 여러 칼럼에서 이 개념을 인용하고, 어느 투자자문회사에서는 인생시계에 맞추어 퇴직연금을 설계하는 보고서를 낸 적도 있었다.

어느 책에선가 "내 나이 마흔이고 하루로 치면 정오밖에 되지 않았는데……"라는 구절을 보고 '이걸 아예 시계로 만들면 재미있겠다'고 어렴풋이 생각했다. 책을 집필할 때 이 생각을 글로 썼는데, 이게 유명해지면서 "어떻게 아이디어를 얻었느냐?"는 질문을 많이 받았다. 그제야 찾아보니 한비야씨의 책에 나온 구절이었다. 책을 쓸 때 아이디어의 출처를 밝혔어야 했는데 그러지 못한 것이 못내 마음에 걸렸다. 후일 한비야씨를 만날 기회가 있어 이 문제를 얘기했더니 그는 흔쾌하게 대답했다. 자신의 아이디어가 많은 사람에게 퍼져나가 희망을 주었다면 그것으로 만족한다고, "내 불씨를 나누어준다고 해서 내 밝기가 줄어드는 것은 아니"라고 말이다. 세계적인 봉사자다운 대답이었다. 그때 나는 왜 수많은 젊은이들이 그에게 열광하는지 알 수 있었다. 이 기회를 빌려 한비야씨에게 못다 한 감사를 거듭 전한다.

인생시계에 얽힌 또하나의 에피소드가 있다. 어느 중학교 2학년 학생에게서 이메일이 왔다.

안녕하세요. 올해 중학교 2학년이 되는 학생입니다. 오늘 아침 TV에서 교수님의 강의를 들었는데요. 인생시계에서 평균수명인 80세를 기준으로 24시간을 나눈다면 한 살당＝18분 이런 결과가 나온다고 하셨는데, 50대의 1년과 10대의 1년을 같은 18분으로 볼 수 있는가에 대해서 의문점이 생겼습니다.

10대의 1년은 50대의 1년보다 값진 시간이라고 말할 수 있는 것 아닌가요?

처음 이 메일을 읽고 혼자 빙그레 웃었다. 이 학생은 진지했다. 어떻게 자기처럼 빛나는 10대의 하루와 '노땅' 50대의 하루가 같을 수 있느냐는 것이다. 세간에 '중2병'이라는 유행어가 있다. "중학교 2학년 나이 또래의 사춘기 청소년들이 흔히 겪는 심리적 상태를 빗댄 말로, '자신은 남과 다르다' 혹은 '남보다 우월하다'는 착각에 빠져 허세를 부리는 사람을 얕잡아 일컫는 인터넷 속어"[42]이다. 그런데 이 친구가 딱 '중2'라니 재미있었다.

이 편지를 읽은 당신의 생각은 어떤가? 당신이 중학교 2학년이었을 때의 하루와 지금의 하루 중, 어떤 시간이 더 값지다고 생각하는가?

주위 사람들에게 물어보니 연령대를 불문하고 모두가 '지금'이라고 답했다. 이 친구에게 답장을 썼다. 차마 "50대의 1년이 훨씬 값지답니다"라고 하지는 못하고, 아래와 같이 적었다.

"누구나 자기 시간대가 가장 중요한 것입니다. 그래서 시간은 평등합니다."

나는 여기에 인생시계의 비밀이 있다고 생각했다. 사람들이 인생시계를 재미있다고 생각하는 이유는 예상보다 훨씬 이르게 계산되어 나온다는 점 때문이다. 어느 방송에서 방청객들에게 지금 당신은 몇시쯤 된 것 같은지 적어보라고 했더니, 오후 4시라고 쓴 24세 대학생이 있었다. 실제로는 오전 7시 12분인데 말이다. 이렇게 자신이 이미 한참 늦었다고 생각하는 이유는 내게 메일을 보낸 중학교 2학년 학생의 착각과 같다. 현재를 지나치게 중요하거나 무겁게 여긴 나머지 미래의 시간을 너무 사소하게 평가해버리는 것이다. 하지만 나는 확신한다. 인생의 모든 시간대는 똑같이 중요하다고.

인생시계에 대한 뼈아픈 비판도 있었다. 요즘 여든 살 넘도록 정정하게 생활하는 사람들이 얼마나 많은데, 그럼 그들의 시간은 도대체 어떻게 되느냐는 것이었다.

"그러니까 우리는 '뽀~나쓰'지, 뭐."

하고 질문하신 어르신께서 스스로 대답하며 유쾌하게 웃어주시기는 했지만, 나는 내내 죄송했다. 대한민국 평균수명에만 신경쓴 나머지, 거기까지는 미처 생각지 못했던 것이다. 우리 세대는 '살아갈수록 평균수명이 계속 길어지는' 인류 역사상 가장 특이한 시대를 살고 있다. 이제 곧 그 '평균'도 90세를 향해 맹렬히 올라갈 것이다. 인생 90시대에 걸맞은, 뭔가 새로운 지표가 필요하다는 생각을 하게 됐다.

❧

평균수명이 90으로 늘어나면 인생시계의 계산법도 조금 바꾸면 된다. 분모만 80에서 90으로 키우면 되는 것이다. 45세가 정오가 되고, 1년에 16분씩 진행한다.

일생을 하루가 아닌 1년으로 환산하면, 날짜나 계절에 대입할수 있으니 그것도 실감날 것 같다. 90세를 12개월로 줄이면 되니까, 7.5세를 먹을 때마다 한 달씩 흘러가는 것으로 계산한다. 예를 들어 나이 30세가 4월 1일, 45세가 6월 1일 하는 식으로 말이다. 날짜까지 환산하고 싶은 사람은 한 살을 4일로 치면 된다. 이 계산

은 유년-청년-장년-노년의 시기가 봄-여름-가을-겨울의 메타포
와 잘 맞아떨어져, 계절마다 느끼는 감성과 잘 어울린다. 예를 들
어 '잔치가 끝난' 서른은 4월 1일이다.

> 4월은 잔인한 달,
> 죽은 땅에서 라일락을 키워내고
> 기억과 욕망을 뒤섞고,
> 봄비로 잠든 뿌리를 일깨운다
> 차라리 겨울에 우리는 따뜻했다

4월은 T. S. 엘리엇의 유명한 시 「황무지」가 저절로 떠오르는 달
이다. 차라리 겨울이 따뜻했을 만큼, 4월은, 인생으로 치면 30대
는, 잔인하다.

운동경기에 비유할 수도 있다. 먼저 생각해본 것이 축구경기
다. 축구는 전후반 45분씩 90분을 경기하므로 복잡하게 계산하지
않아도 쉽게 감이 온다. 45세를 기준으로 전후반을 나누고, 후반전
에서는 자기 나이에서 45를 뺀 후 계산하면 되는 것이다. 예를 들
어 35세면 전반 35분이고, 60세면 후반 15분이다.

야구에도 적용할 수 있다. 야구는 9회 말까지 한다. 그러니까
0~4세는 1회 초, 5~9세는 1회 말, 이런 식으로 계산하면 지금 내

가 몇 회를 뛰고 있는지 알 수 있다. 예컨대 34세라면 이제 4회 초를 뛰고 있는 것이다.

축구나 야구는 연장전도 있으므로 90세 이후를 사시는 분의 계산도 가능할 것이다. 본인이 좋아하는 운동에 따라 야구나 축구 중 하나를 고르고 자기 시간을 계산해보는 것도 재미있을 것 같다.

시계에, 축구에, 야구에, 계절에……

그러나 이것들은 단지 하나의 잣대일 뿐이다. 이처럼 여러 척도를 사용해서 어쩌면 부질없는 대비를 자꾸 시도하는 것은 단 한 가지 이유 때문이다. 아까 그 중2 학생처럼 자신의 현재를 과대평가하고 미래를 과소평가하여 생의 남은 시간을 지나치게 짧게 보는 착시현상을 교정해주기 위해서다. 잣대란 무엇이든 객관적으로 잴 수 있게 해주는 도구가 아닌가. 인생을 형편없는 근시안으로 보는 우리에게는 딱딱한 잣대가 필요하다. 특히 자신의 삶처럼 주관적인 것을 측량하고자 할 때에는.

30대 독자들의 편지에서 '이 책을 청춘일 때 만났더라면 인생이 조금은 달라졌을 것 같다'는 내용을 많이 접했다. 나는 그때마다 이렇게 답장했다. 깨달음은 항상 조금 늦게 오는 법이라고, 그러므로 지금 뭐든 시작해도 전혀 늦지 않다고……

당신이 몇 살이든 무엇을 꿈꾸든 아직 살아 있다면 새로 시작할 수 있다. 그 사실만 마음에 새길 수 있다면, 인생시계 따위는 이제 던져버려도 좋다.

아마추어로
산다는 것

오래 걸려 나를 다 치우고 나면
무엇 먼저 무너져내릴 것인가
나는 그것이 두려워 여태 이 벽돌 한 장을
나에게 내려놓지 못하고 있다
이병률, 「오래된 사원」

디스크 치료를 위해 한의원에 갔을 때였다. 한의사 선생님이 뜨거운 약초 핫팩을 허리 부위에 올려놓으면서 손에는 호출기를 쥐여주며 말씀하신다.

"뜨거우면 누르세요, 참지 마시구요."

앗, 정말 뜨끈하다. 신기한 것이, 시간이 갈수록 식는 것이 아니라 더 뜨거워진다. 호출기를 누를까 하다가, 뜨거울수록 효과가 좋지 않겠나 하는 생각에 꾹 참는다. 이윽고 타이머가 울리고, 선생님이 다시 들어와 핫팩을 거두다가 깜짝 놀란다.

"아니, 굉장히 뜨거우셨을 텐데 왜 안 부르셨어요? 잘못하면 화상 입으실 뻔했네요."

가벼운 질책에 나는 머쓱하게 대답했다.

"저 잘 참아요. 뜨거운 것도, 아픈 것도……"

그렇게 말하고 나서 생각하니, 나는 정말 그랬다. 어릴 때부터 뭐든 참는 것이 잘하는 것이라고 배웠다. 언젠가 그 아픈 프롤로 주사를 맞을 때에도, "아프시죠?" 하고 의사가 묻자 "별로 안 아프니까 마음껏 주사 놓으세요" 하고 대답했다.

육체적 아픔뿐만이 아니다. 감정의 아픔에도 나는 항상 나를 꾹꾹 눌러 참아왔다. 슬플 때, 힘들 때, 나는 누구에게도 이야기한 적이 없었다.

허리도 안 좋은데, 누워서 그런 생각을 하자 갑자기 서글퍼졌다. 나는 김정운 교수가 질색을 하는 "자기 자신과 싸워 이기려는" 인종인 것이다. "세상을 이기는 사람은 강한 사람이지만, 자기를 이기는 사람은 더욱 강하다"는 노자의 말을 금과옥조로 삼고 일생을 살아왔다. 나를 움직인 것은 8할이 의무와 책임감이다. 나는 왜 그렇게 빡빡하게 살아야 했던 것일까? 갑자기 삶의 피로가 허리에서 시작해 머리까지 몰려온다.

나이가 들수록 자신에 대해서 좀더 너그러워져야겠다는 생각을 한다. 젊을 때는 준비하고 성취해야 하는 기간이니까, 어느 정도는 스스로를 다그칠 필요도 있다. 하지만 어른이 되면 모든 것을 알아야 하고, 모든 것에 능해야 하고, 모든 것에 엄격해야 한다는 강박관념을 내려놓는 것도 필요하다. 그것은 단지 '그래야 스트레스를 줄여 정신건강에 좋다'거나, '이제 스스로를 좀 놓아줄 나이도 됐다'는 막연한 관대함 때문이 아니다. 경험상 스스로에게 너그러울 때 더 즐길 수 있고, 그래서 오히려 더 잘할 수도 있다는 걸 알게 된 것이다.

우리 학교에서는 매년 봄 발전기금 기부자를 위한 음악회가 열린다. 대체로 음악대학 학생과 교수 들이 출연해서 클래식 음악을 연주했는데, 2011년에는 조금 더 대중적인 행사로 만들어보자는 시도가 있었다. 그래서 클래식 공연 중간에 가수 '바비킴'을 초청하기로 했다. 그런데 바비킴이 부르는 다섯 곡 중에 두 곡은 나와 이중창으로 하자는 아이디어가 나왔다. 언젠가 교수들끼리 노래방에 갔을 때 바비킴의 노래를 불렀는데 그 모습을 유심히 보았던 음대 김영률 교수가 이 행사를 기획하면서 바비킴-김난도 두 사람이 이중창을 하면 좋겠다고 제안한 것이다. 나는 화들짝 놀라서 거절했지만, 다들 재미있겠다고 박수를 치면서 좋아했다. 자꾸 사양했더니 나중에는 내 '애교심'까지 거론되는 상황이 오고, 결국 난생 처음 무대에 서게 되었다. 부를 곡은 〈사랑… 그놈〉, 그리고 앙코르가 나오면 〈Let Me Say Goodbye〉.

행사 한 달 전부터 나는 연습에 돌입했다. 노래도 썩 잘하는 편은 아니어서 음정 박자도 걱정이었지만, 특히 가사가 문제였다. 노래방과 공연무대는 다르다. 모니터가 없어 가사를 외워야 한다. 게다가 혼자 부르는 것이 아니라, '진짜 바비킴'과 함께 듀엣을 해야 한다. 가사를 한 글자도 틀려서는 안 되는 것이다. 그런 긴장 때문이었는지 연습할수록 가사가 자꾸만 틀렸다. 두 곡 모두 가사가 긴 노래는 아니지만, 1절, 2절, 후렴의 가사가 미묘하게 달라서 연습을 하면 할수록 헷갈리는 것이었다.

근데 이게 말이 안 되었다. 왜냐하면 나는 이 두 노래의 가사를 이미 외우고 있었다. 내가 대학 다닐 때는 노래방 기계라는 것이 없어서 모든 노래를 외워 불렀다. 그래서 좋아하는 노래의 가사를 외우는 것은 당연했다. 바비킴의 노래를 좋아해서 노래방에서도 이미 가사를 외워 불렀는데, 막상 공연을 하려니까 노래만 시작하면 머리가 하얘지면서 다음 소절이 생각나지 않는 것이었다.

공연을 앞두고 MR 반주에 맞춰 정말 수백 번을 연습했던 것 같다. 나도 TV에 나오는 '보컬 트레이닝'까지는 아니라도, 노래 선생님의 지도라도 몇 번 받았으면 좋았을 텐데, 하는 생각이 들었지만 그럴 처지도 아니었다. 대신 그냥 차에서 방에서 수없이 불렀다. 확실히 연습은 힘이 세다. 자꾸 부르니까 또 새로운 맛을 알게 되었다. 노래방에서 막 부를 때보다 훨씬 좋아졌다. 그런데 가사를 자꾸 잊어먹었다. 속된 말로 환장할 노릇이었다.

드디어 공연날. 대기실에 일찌감치 가서 긴장을 가라앉히며 틈날 때마다 또 연습을 했다. 공연 시작 두어 시간 전쯤 바비킴이 왔다. 실제로 보니 훨씬 멋있다. 당시 허리 부상을 입어 공연이 불가능한 상태였는데도 약속을 지키려고 허리에 복대까지 하고 어려운 걸음을 했다. 듀엣을 어떻게 나눠 부를까 상의하고 작은 소리로 입을 맞추는데, 내가 또 가사를 틀렸다. 미칠 지경이었다. 공연을 코앞에 두고 아직도 가사를 틀리다니······

그래서 고민 끝에 작은 종이에 가사를 써가지고 나가기로 했다. 무대를 망칠 확률이 1%라도 있다면, 안전하게 가는 게 좋을 것 같았다. 더구나 이것은 내 무대가 아니다. 바비킴 같은 유명가수 옆에 나 같은 아마추어가 서는 것도 미안한 일인데, 노래까지 망치면 안 되는 것이었다. 그래서 나는 가사 적힌 쪽지를 들고 무대에 올랐다.

무대에서 노래할 때 아마추어가 열창하는 모습에는 관객들이 큰 박수를 보내줬지만, 내가 손바닥을 볼 때마다 다들 여지없이 웃었다. 노래를 마치고 잠시 토크를 할 때에도 그 얘기가 나왔다. "교수님이신데, 가사도 안 외워지느냐?"는 농담을 바비킴이 했다. 겉으로는 좋게 받아줬지만, 속으로는 어쩌면 나를 정말 성의 없는 사람이라고 생각했을지도 모른다. 어떻게 가사도 모르면서 무대에 오를 생각을 하느냐, 고 말이다. 내가 생각해도 예의가 아니었다. 오디션 프로그램에서도 가사 외우기는 기본 중의 기본이다. 가사 틀리면 무지 혼난다. 그런데 그날 나는 앙코르곡을 부를 때에도 손바닥을 보면서 했다.

공연은 그렇게 끝났지만, 이 일은 얼굴 화끈거리도록 창피한 추억으로 남았다. 지금도 미스터리다. 그때 왜 가사가 그토록 안 외워졌을까? 이미 알고 있는 가사를, 수백 번도 더 연습했는데, 어떻게 그런 일이 생겼을까?

아마 긴장 때문이었을 것이다. 가사를 단 한 글자도 틀려서는 안 된다는 공포심 때문이었을 것이다. 연습실에서 트위터에 이렇게 올렸었다.

"연습실에서 비참할수록 무대에서 화려하다."

그날, 집에 돌아올 때까지도 난 그렇게 되새겼다. 나는 화려한 무대를 즐길 만큼 비참하게 연습하지 못해서 그랬다고, 많이 연습한다고 했지만 그 긴장과 공포를 이길 만큼은 충분히 연습하지 못했던 거라고.

하지만 시간이 지날수록 그날의 '가사치매'가 연습 부족 때문이 아니었다는 것을 깨닫는다. 정말 치매가 아닌 다음에야, 이미 외운 가사로 수백 번 연습을 해놓고 무대에서 까먹는다는 것이 말이 되느냔 말이다. 그것은 최선을 다해야 한다는 완벽주의 때문이었다. 어렵게 초청한 바비킴에게 폐를 끼쳐서는 안 된다는 강박 때문이었다.

아마도 난 나 자신에게 너그럽지 못했던 것 같다. 큰 무대에서, 그것도 유명한 가수와 노래를 하면서 가사부터 틀리면 '절대' 안 된다는 생각이 기억을 관장하는 내 뇌의 어느 한 부분을 마비시켜버렸던 것 같다.

요즘 TV를 켜면 어느 채널에선가는 반드시 방송중인 서바이벌 오디션 프로그램, 거기서 또 빠지지 않고 들을 수 있는 한마디가 있다.

"그냥 무대를 즐기세요."

만약 내가 그날 내 실수에 너그러울 수 있었다면 상황은 많이 달라졌을 것이다. '틀리면 좀 어때? 난 어차피 아마추어인데, 바비킴씨가 옆에서 커버해줄 텐데, 뭐……' 이렇게 느긋하게 생각했다면, 그래서 말 그대로 무대를 즐길 수 있었다면, 오히려 제대로 노래 부를 수 있지 않았을까? 그게 오히려 바비킴에게도 더 예의가 아니었을까?

처음 서는 사람에게 무대는 정말 힘든 공간이다. 커튼 뒤에서 초조하게 자기 순서를 기다리다가 때가 되어 천천히 걸어나갈 때, 조명은 눈을 뜨기 힘들도록 나를 쏘아대고 빛보다 더 밝은 천 개의 시선이 나만을 바라볼 때, 그 순간을 즐긴다는 것은 하늘이 내린 끼라도 있지 않다면 불가능한 일이다. 이걸 가능하게 하려면 충분한 연습만이 해답이라고 나는 생각했다. 그래서 '무대를 즐기다＝연습을 많이 하다'의 등식이 성립한다고 믿었다.

하지만 지나보니 알겠다. 무대를 즐긴다는 것은 스스로에게 너그러워지는 것이라는 사실을. 프로페셔널의 완벽주의가 아닌 아마추어로 사는 기쁨을 충분히 즐길 필요가 있다는 것을. 삶의 무대에서는 또 어떠할까? 똑같은 이치가 적용되지 않을까?

'최선을 다해야 한다'는 것을 지엄한 사명으로 받아들여온 나는 삶의 모든 무대에서 프로가 되려고 했다. '폐 끼치지 말아야 한다' '성공해야 한다'는 의무감 때문에 과정을 즐기는 기쁨을 놓치고 살았다. 아마추어로 사는 것은 과정을 충분히 즐기는 일이다. 삶의 모든 영역에서 프로가 되지 않아도 된다는 것을 인정하는 일이다. 언제나 어디서나 프로가 될 수는 없다. 내가 매일 하는 딱 한 가지 일에서 프로가 되기도 어려운 것이 삶이다.

어른이 된다는 건, 잘해야 한다는 강박에서 벗어나는 것이다. 자신에게 조금만 너그러워지자. 그래야 더 잘할 수 있다.

언제나 어디서나 프로가 될 수는 없다.
내가 매일 하는 딱 한 가지 일에서
프로가 되기도 어려운 것이 삶이다.

어른이 된다는 건, 잘해야 한다는 강박에서 벗어나는 것이다.
자신에게 조금만 너그러워지자. 그래야 더 잘할 수 있다.

소중히 쟁여놓은
외할머니의 빨간 내복

우리에게 뭔가 시도할 용기가 없다면
삶이 도대체 무슨 의미가 있겠니?
빈센트 반 고흐

　벌써 10여 년 전의 일이다. 외할머니께서 돌아가시고 장례식을
마친 후, 어머니와 유품을 거두러 댁에 갔다. 나는 마루를 치우고
어머니는 장롱을 정리하고 계셨는데, 방에서 갑자기 울음소리가
났다. 깜짝 놀라 뛰어들어가보니 어머니께서 흐느끼고 계셨다. 장
례식 내내 꿋꿋했던 어머니였기에 나는 무척 당황스러웠다.

　무엇이 저렇게 어머니를 오열하게 했을까? 어머니는 외할머니
의 겨울용 빨간 내복을 손에 들고 계셨다. 장롱 서랍 속에는 비닐
포장도 뜯지 않은 내복 댓 벌가량이 켜켜이 쌓여 있었다.

　외할머니는 늘 소매가 나달나달해진 내복을 입고 계셨다. 그게

보기 흉했던지 어머니, 이모, 외숙모들이 찾아뵐 때마다 새 내복을 사다드렸는데, 외할머니는 그것들을 포장도 뜯지 않고 장롱 속에 고이고이 쟁여두셨던 것이다. 운명하실 때까지도 외할머니는 소매가 해진 내복을 입고 있었다.

"얼마나 사신다고, 이걸 이리 아껴두셨담!" 내가 열심히 등을 쓸어드렸지만, 어머니는 같은 말씀을 반복하시며 이후로도 방 안에서 한참을 더 우셨다.

❧

방을 옮기느라 책장 서랍 구석구석을 뒤지다보니 별게 다 나온다. 눈길을 끄는 것은 옛날에 선물로 받은 볼펜 세트. 필요할 때 누군가에게 주거나 나중에 쓰려고 아껴뒀는데, 막상 지금 꺼내니 잉크가 말라버렸다. 이럴 줄 알았으면, 그냥 그때 쓸걸! 불현듯 외할머니 내복 생각이 났다.

좀더 생각해보니 언젠가, 언젠가 하면서 쟁여놓기만 한 것이 볼펜만은 아닌 것 같다. 주말이 오면, 방학이 되면, 연구년을 맞으면, 은퇴하고 나면…… 이런 마음의 꼬리표를 붙여놓은 채 머릿속에 차곡차곡 쌓아놓기만 한 계획들, 목표들, 꿈들. 그래서 쇠도 뜨거울 때 두들기라고 했는가보다.

한때 열렬했던 열망들이 이제는 오래된 유성잉크처럼 말라버려 더이상 내 마음에 아무런 자국도 내지 못한다. 그대는 어떤가?

세상에는 두 종류의 후회가 있다. 하고는 싶었으나 해보지 못한 아쉬움에서 오는 후회와 실컷 용기를 내어 실천했지만 기대보다 성과가 좋지 못한 서운함에서 오는 후회. 어떤 후회가 더 나쁠까? 당연히 해보지 못한 데서 오는 후회다. 아쉬움이 해소되지 않은 채로 끝까지 가니까. 반면에 일단 시도하기만 한다면, 혹시 결과가 좋지 않아 실망하게 되더라도 시나브로 잊고 새로운 도전의 대상을 찾아나설 수 있다. 더구나 그 '저지름'은 어떤 형태로든 깨달음을 주고 나를 한발 더 나아가게 할 것이다.

그대, 마음의 서랍을 열어보라. 무엇이 들어 있는가? 언젠가는, 언젠가는, 하면서 쌓아놓은 청춘의 꿈들이 아직 거기 있지 않은가? 혹시 차갑게 식어버리지는 않았는가?

지금 꺼내라. 먼지를 털고, 물을 주고, 불기를 지펴, 묵혀뒀던 그대의 그 꿈에 다시 온기가 돌게 하라.

언제까지 미뤄두기만 할 것인가? 저질러라. 아니면 망설이며 미적거렸던 그 계획들이 우리 죽는 날, 한 줌 재 되어 연기와 함께 날아가버릴 테니. 외할머니의 내복들이 그렇게 되어버린 것처럼.

그대, 마음의 서랍을 열어보라.
무엇이 들어 있는가?
언젠가는, 언젠가는, 하면서 쌓아놓은 청춘의 꿈들이
아직 거기 있지 않은가?
혹시 차갑게 식어버리지는 않았는가?

지금 꺼내라.
먼지를 털고, 물을 주고, 불기를 지펴,
묵혀뒀던 그대의 그 꿈에 다시 온기가 돌게 하라.

생의 반환점에
들어서려는 그대에게

🌱

인생과 가장 많이 비견되는 스포츠는 마라톤일 것이다.

인생, 그 가볍지 않은 단어를 떠올릴 때마다 어릴 적 보았던 〈My Way〉라는 영화가 아직도 기억이 난다. 줄거리는 거의 잊었지만, 프랭크 시내트라의 그 유명한 노래가 흐를 때 힘겹게 외로이 달려가는 한 사내의 이미지가 퇴근길의 내 뒷모습과 겹쳐진다.

실제로 마라톤은 우리 삶과 많이 닮았다. 42.195km의 긴 거리를 홀로 완주해야 하는 여정이 그렇고, 한순간의 오버페이스가 다른 순간의 슬럼프로 이어지는 것이 그러하며, 매 순간 힘겨운 걸음걸음이지만 달리다보면 러너스 하이runners' high, 즉 열심히 달리는 희열을 맛볼 수 있다는 점이 또 그렇다.

어른이 된다는 걸 마라톤에 비유한다면, 반환점이 가까워지고 있다는 사실일 것이다. 반환점. 반환점을 돈다는 것은 어떤 의미일까?

마라토너들의 말을 들어보면 반환점을 돌 때 가장 힘이 난다고 한다. 이제 지나온 길보다 남아 있는 길이 짧다는 의미이기에, '완주가 가능하다'는 자신감이 가장 커지는 시점이니까. 반환점을 돌고 나면 힘은 더 들지만 막막함은 줄어든단다. 어디에 굽이가 있고, 어디에 오르막이 있는지 알게 된 까닭이다.

재미있는 것은 갈 때의 오르막이 올 때는 내리막이라는 점이다. 올라올 때 힘든 언덕이었을수록 내려갈 때는 한결 수월하다.

김훈 작가의 표현을 빌리면, "모든 오르막과 모든 내리막은 땅 위의 길에서 정확하게 비긴다."[13]

이를 굳이 인생에 대입하면 생의 역경을 잘 헤치고 온 사람일수록 수월하게 후반부 레이스를 마칠 수 있다. 그래서 삶이 공평하다고 하는 모양이다.

반환점은 역순逆順이다. 단순한 반복이 아니라 처음을 향해 다시 뛰어가는 것이다. 역순에는 뜻이 많다. 처음을 향해 뛴다는 것은 '초심'으로 돌아가자는 의미도 있고, 태어날 때 아무것도 가지지 않았던 맨손을 다시 준비하자는 의미도 있으며, 한번 경험했던 길이니 이번엔 좀 실수를 줄여보자는 의미도 있다.

한번 갔던 길을 다시 뛰자면 지루할 것 같지만, 그렇지 않다. 다시 새롭다. 한결 익숙해진 탓에 처음에 놓쳤던 것을 다시 볼 수 있게 되는 까닭이다. 고은 시인은 노래했다.

> 내려갈 때 보았네
> 올라갈 때 보지 못한
> 그 꽃

이 석 줄은 시의 일부가 아니라 「그 꽃」⁴⁴이라는 시의 전문全文이다. 하지만 이 짧은 열일곱 글자만큼 반환점의 의미를 잘 표현한 문장이 또 있을까? 그렇다. 어른이 되어간다는 것은, 다시 말해서 생의 반환점을 돌아나간다는 것은, 달려올 때 보지 못했던 '그 꽃'을 본다는 일이다.

여기 묻는다. 그대가 보지 못했던 '그 꽃'은 무엇인가?

집 한 칸 마련한다고 '먹고 싶은 것 먹지 못하고, 입고 싶은 것 입지 못했던' 음식이며 옷 들인가, 자식 좋은 대학 보내보겠다고 학원이며 길거리에 쏟아부은 시간들인가, 더 빨리 승진하고 더 많이 벌어보겠다고 등졌던 가족들인가, 성공에 눈이 어두워 상처 주고 등한시했던 소중한 이들과의 관계인가, 먹고사는 일에 바빠서 애써 덮어두어야 했던 청춘의 꿈들인가.

1988년 강변가요제에서 〈담다디〉라는 노래로 대상을 타며 데뷔했던 가수 이상은이 2012년 어느 일간지와의 인터뷰에서 다음과 같이 말했다. 단발머리 껑다리 소녀가 어느덧 작은 철학자가 되어 있었다. 숙성한 시간의 힘이리라.

사람들은 나이를 먹는 것에 겁을 먹는다. 나이가 들수록 뭔가를 잃어가고 있다는 느낌을 받으니까. 나도 그랬다. 그런데 어느 순간 '없어진 것을 보지 말고, 내게 있는 걸 보자'는 생각이 들었다. 그때부터 달라지더라. 40대가 됐을 때 나에게 남은 것들을 소중하게 끌어안자고 다짐했다. 그런데 내게 남은 걸 끌어안으면 안을수록 더 소중해지더라.[45]

나는 비로소 깨닫는다. 반환점을 돌며 보아야 할 그 꽃이란, 내가 이루지 못해 아쉬운 것들이 아니라, 아직 내게 남아 있는 그 소중한 것들이라고.

이제 생의 반환점에 들어서려는 그대여,

저기 당신의 '그 꽃'이 보이는가? 그 '소중한 것'을 부여잡을 용기를 챙겼는가?

건투를 빈다.

의자에 오래 앉지 못하는 남자의
작은 위로

아래 이야기는 100% 리얼.

한창 이 책을 쓰고 있던 어느 날 강남의 대형서점에 갔다. 에세이 코너에서 새로 나온 책을 구경하고 있는데, 대학교 3학년쯤 되어 보이는 학생 둘이 책 한 권을 놓고 귓속말을 주고받으며 킬킬 웃고 있었다. 열심히 보던 책을 도로 내려놓는데, 곽금주 교수의 『도대체, 사랑』이다. 내가 추천도 했던 책이라 호기심이 발동해서 말을 걸었다.

나   그 책 어때요?

학생   재미있어요. 완전 제 얘기 같아서 찔렸어요.

나   그럼 사야지, 왜 내려놨어요?

학생   그냥요……

옆의 친구와 또 킬킬 웃는다. 하긴, 웃음이 많을 나이다. 마침 바로 옆에 『아프니까 청춘이다』가 놓여 있기에, 용기를 내서 또 물어봤다. 모르는 사람에게 내 책에 대해서 물어보는 건 처음이다.

나   이 책은 읽어봤어요?

학생   아니요.

나   이 책 알아요?

학생   예, 알긴 알아요. 그래도 안 읽었어요.

나   왜요?

그러자 내 눈을 똑바로 쳐다보면서 당당히 대답한다.

학생   김난도씨를 안 좋아해서요.

나   ……그 사람 알아요? 왜 안 좋아해요?

학생   예, 저는 깊이 있는 책을 주로 읽거든요.

할말이 없어진 나는 어색하게 웃다가 한마디 하고 자리를 떴다.

나   그래요. 다음엔 좀더 깊이 있게 써볼게요.

아아, 나는 언제나 깊이 있는 글을 좀 써볼 것인가!

∾

엄청난 부담 아래 이 책을 썼다.

에세이집으로는 처음이었던 『아프니까 청춘이다』가 기대를 뛰어넘는 과분한 관심을 받았다. 부담스러웠다. 일부 평론가들의 비판도 힘들었지만, 그보다 훨씬 아픈 것은 독자들의 반응이다. 굳이 예를 들면, "저는 깊이 있는 책만 읽거든요" 같은.

내 글에 깊이가 부족한 것은 나도 고민하는 바다. 그래서 두번째 책은 조금이라도 더 심도 있게 써보고 싶었지만, 없던 깊이가 갑자기 얼마나 생겨나겠는가? 그래도 적어도 전작前作의 수준은 갖춰야 한다는 강박관념이 끊임없이 나를 괴롭혔다. 소위 '2년차 신드롬'을 속속들이 확인하는 시간이었다.

그래서인지 이 책을 쓰는 내내 힘들었다.

비단 부담감이 아니더라도 이번 작업은 더 어려울 수밖에 없었다. 『아프니까 청춘이다』는 기본적으로 대학생 독자를 위한 책이었다. 내 직업이 선생이니까, 학생들에게 '이렇게 살아라' 하고 말하는 것은 자연스럽다. 하지만 이번 책은 '어른' 혹은 '어른이 되어가는 어른아이들'을 위한 책이다. 같이 나이 들어가는 처지에 내가 이래라저래라 할 아무런 자격도 근거도 없다. 독자들이 어떻게 받아들여줄지 걱정이 크다.

그래도 이 책을 쓰는 내내 행복했다.

이번 책을 위해 여러 시집과 고전을 새로 혹은 다시 읽었다. 2012년은 내 두번째 연구년이다. 강연과 인터뷰를 일절 사양한 채 일상을 최대한 단순하게 만들고, 학교 일로 바빠 손에서 놓았던 '좋은 책'들을 가까이하니, 마음이 참 좋았다. 책을 읽다가 허리통증이 조금 가시면 다시 의자에 앉아 약간 고인 생각을 다시 펴내는 일과를 몇 달 동안 반복했다. 어찌 보면 지루해질 만도 한데, 그래도 좋은 글을 읽을 수 있다는 사실이, 이나마의 이야기라도 적어내려갈 수 있다는 사실이 행복했다.

특히 시집을 다시 가까이할 수 있어, 연구년에 감사했다. 처음에는 글머리의 인용문을 찾으려고 예전에 읽던 시선집을 꺼내들었는데, 어느덧 빠져들어 시만 읽다가 한나절을 다 보낸 적도 많았다. 이번에 시집도 새로 많이 샀다. 시는 삶을 직시하게 하는 궁극의 언어다. 시적 절제는 핵심만 짧게 전달하는 요즘의 디지털 문화와도 궁합이 잘 맞는다. 젊은 독자들이 우리 시를 많이 읽었으면 좋겠다.

독자들께 한 가지 양해를 구할 일도 있다. 어느 매체와의 인터뷰에서 『아프니까 청춘이다』의 후속으로 40대 이상의 중년을 위한 에세이, 농담처럼 이야기한 프로젝트명 '결리니까 중년이다'를 집필하고 있다고 밝힌 적이 있다. 당시에는 중년이 짊어져야 할 삶의 무게를 같이 나눌 수 있는 글을 아내와 동년배들을 위해 쓰고 있었다. 이야기를 풀어가다가 필연적으로 '어른'이라는 단어와 만났고, 문득 '나는 어른일까?'라는 원초적인 질문의 문 앞에 서게 됐다. 고민 끝에, '청춘의 변경邊境에서 어른의 세상으로 들어서는 초보 어른들'과 함께 고민할 글을 먼저 마치기로 마음먹었다. 물론 중년을 위한 에세이는 지금도 틈틈이 쓰고 있다. 머지않아 독자들에게 책으로 묶어 선보일 수 있을 것이다.

책을 만들면서 많은 분들의 도움을 받았다. 거친 초고를 읽고 소중한 조언을 해준 주위의 자원 리뷰어들과 독자모니터 여러분, 늘 나의 눈이 되어 독자와 소비자를 읽을 수 있게 도와주시는

Daumsoft와 Embrain의 대표님과 직원 여러분에게 깊은 감사를 드린다. 한결같은 격려를 보내며 기다려준 사랑하는 가족들도 고맙다.

하지만 가장 큰 감사를 드려야 할 분은 따로 있다. 독자들이다. 내 책의 구매자에게 드리는 의례적인 감사가 아니다. 그동안 여러 경로로 분에 넘치는 격려를 받았다. 누군가의 계기가 될 수 있다는 것은 글쓰는 이가 누리는 최고의 행복이다. 보잘것없는 생각과 모자란 표현도 애정을 가지고 읽어 자기 삶의 거울로 삼아주는 독자들은 변함없이 내가 읽고 생각하고 쓸 수 있도록 만들어주는 동력이고 보상이다. 그들이 보내주는 응원이 없었더라면 의자에 오래 앉지 못하는 고통을 견뎌내지 못했을 것이다.

내가 아는 가장 진솔한 언어를 사용해 그 뜻을 전하고 싶다.

독자 여러분, 감사합니다.

주

* 표시는 각 글 도입부에 쓰인 인용문의 출처이다.

제1부
리셋! 내 인생
* 알렌 코헨, 『내 것이 아니면 모두 버려라』, 서민수 옮김, 도솔, 2000.

우리는 어른일까
* 김소연, 『극에 달하다』, 문학과지성사, 2000.
1 최영미, 『서른, 잔치는 끝났다』, 창비, 1994.
2 공자, 『논어』 '위정 편', 유일석 옮김, 새벽이슬, 2008, 28쪽.

아모르파티—네 운명을 사랑하라
3 KBS Cool FM 〈유인나의 볼륨을 높여요〉 2012년 2월 27일 멘토 특집 방송 중에서.
4 KBS Cool FM 〈유인나의 볼륨을 높여요〉 2012년 7월 10일 방송 중에서.
5 이해인, 『희망은 깨어 있네』, 마음산책, 2010.

어른의 트릴레마, 혹은 힘겨운 저글링
* 기욤 뮈소, 『사랑하기 때문에』, 전미연 옮김, 밝은세상, 2007에서 재인용.
6 「아버지를 사겠다던 중국 소년」, 『이코노미스트』 1097호, 2011년 7월 25일.

당신의 가치
* 콜린 윌슨, 『아웃사이더』, 이성규 옮김, 범우사, 1997.
7 오규원, 『이 땅에 씌어지는 서정시』, 문학과지성사, 1999.
8 니체, 『차라투스트라는 이렇게 말했다』, 홍성광 옮김, 펭귄클래식코리아, 2009, 32쪽.

인생의 하인리히 법칙
9 김민주, 『하인리히 법칙』, 토네이도, 2008.
10 오스카 와일드, 『도리언 그레이의 초상』, 김진석 옮김, 펭귄클래식코리아, 2008, 351쪽.

제2부
내 인생의 반전드라마
* 파울로 코엘료, 『흐르는 강물처럼』, 박경희 옮김, 문학동네, 2008.

떠나느냐 남느냐, 그것이 문제로다
* 시몬 베유, 『시몬 베유 노동일지』, 박진희 옮김, 리즈앤북, 2012.
11 「친구들 부러움 속 입사한 대기업 퇴사 급증 왜」, 중앙SUNDAY, 2012년 4월 15일.
12 시라토리 하루히코 엮음, 『초역 니체의 말』, 박재현 옮김, 삼호미디어, 2010에서 재인용.

첫 월급
* 고은, 『순간의 꽃』, 문학동네, 2001.

일이냐, 돈이냐
* 틱낫한, 『힘』, 진우기 옮김, 명진출판, 2003.
13 강상중, 『고민하는 힘』, 이경덕 옮김, 사계절, 2009.
14 「日 100세 '최고령 현역 게이샤' 고킨 "게이샤의 추억? 배고파 눈물 났던 기억뿐……"」, 조선일보, 2008년 3월 29일.
15 앨리스 슈뢰더, 『스노볼—워런 버핏과 인생 경영』, 이경식 옮김, 랜덤하우스코리아, 2009.
16 사이바라 리에코, 『천사 같은 돈 악마 같은 돈』, 편집부 옮김, 현문미디어, 2009, 98쪽.

성공의 비밀, 신발 정리
17 조용헌, 『조용헌의 소설 2』, 랜덤하우스코리아, 2007, 149쪽.
18 같은 책, 149쪽.
19 「신발을 정리하자 사훈으로 피자시장 1등에」, 조선일보, 2012년 4월 25일.

직선의 슬픔
* 나눔문화 www.nanum.com, '박노해 시인의 숨고르기', 2011년 8월 23일.
20 김난도 외, 『트렌드 코리아 2012』, 미래의창, 2011.
21 신영복, 『감옥으로부터의 사색』, 돌베개, 1998, 101쪽.

제3부
결혼의 조건
* 오소희, 『사랑바보』, 문학동네, 2011.
22 알랭 드 보통, 『사랑의 기초—한 남자』, 우달임 옮김, 톨, 2012, 141쪽.

섹스, 어른의 언어, 어렵고 슬픈

* 박철, 『사랑을 쓰다』, 열음사, 2007.
23 신디 메스턴 · 데이비드 버스, 『여자가 섹스를 하는 237가지 이유』, 정병선 옮김, 사이언스북스, 2010.

나라는 이름의 가면

24 어빙 고프먼, 『자아표현과 인상관리』, 김병서 옮김, 경문사, 1987.

엄마처럼 살기 싫었는데 자꾸만 엄마를 닮아가,
아빠처럼 되기 싫었는데 그렇게 되기도 쉽지가 않아

* 권혁웅, 『마징가 계보학』, 창비, 2005.
25 사르트르, 『말』, 정명환 옮김, 민음사, 2008, 18~22쪽.
26 최상희, 『그냥, 컬링』, 비룡소, 2011.
27 마야 스토르히, 『강한 여자의 낭만적 딜레마』, 장혜경 옮김, 푸른숲, 2003.
28 데이비드 버스, 『욕망의 진화』, 전중환 옮김, 사이언스북스, 2007, 382쪽.

창살 없는 감옥에서 자기만의 왕국으로

* 전혜린, 『그리고 아무 말도 하지 않았다』, 민서출판사, 2002.
29 김선미, 「30, 40대 전업주부의 일상생활경험과 정체성 유지를 위한 대응양식」, 서울대학교 박사학위논문, 2004.

대한민국에서 '워킹맘'으로 산다는 것

* 정끝별, 『삼천갑자 복사뼈』, 민음사, 2005.
30 「청소년은 '미치광이'와 '아이'의 중간쯤에 있는 사람—안준철 순천 효산고 교사가 알려주는 '교실소통법'」, 오마이뉴스, 2012년 7월 10일.
31 한병철, 『피로사회』, 문학과지성사, 2012.

가족, 작은 말로 쌓는 탑

* 헤밍웨이 외, 김만중 엮고 옮김, 『비둘기를 잡아먹던 시절』, 거송미디어, 2002.

제4부
인생이 아픔이었네

* 「벽산그룹 창업주 3남 김희근 벽산엔지니어링 회장의 격정인생」, 중앙일보, 2011년 11월 5일.
32 「"책상서 비빔밥 먹으며 하루 17시간씩 죽어라 했다"—강연 · 세미나로 공부법 전도하는 '공부도사' 고승덕 의원」, 중앙SUNDAY, 2011년 3월 27일.

33 「돈방석 앉은 샐러리맨, 전 재산 투자한 곳은…」, 조선일보, 2012년 5월 9일.

소비의 정글에서 살아남기
* 스콧 피츠제럴드, 『위대한 개츠비』, 김영하 옮김, 문학동네, 2009.
34 「타이의 (주)기도문」, 백영옥, 『스타일』, 예담, 2008.
35 김난도, 『사치의 나라 럭셔리 코리아』, 미래의창, 2007.

남의 눈
* 유안진, 『다보탑을 줍다』, 창비, 2004.
36 최인철, 『프레임』, 21세기북스, 2007, 88~90쪽.
37 「김두식의 고백—정혜신 · 이명수 부부의 사랑」, 한겨레, 2012년 2월 18일.

취미, 일생의 벗
38 다이애나 홍, 『다섯 친구』, 모아북스, 2011.

결핍이 나를 돌아보게 한다
* 최준영, 『결핍을 즐겨라』, 추수밭, 2012.
39 「노인학 대가 칼 필머 코넬대 교수」, 조선일보, 2012년 5월 12일.
40 「고졸신화 주역 장인수 오비맥주 대표」, 매일경제, 2012년 6월 23일.

이제 인생시계는 던져버려라
* 시바타 도요, 『약해지지 마』, 채숙향 옮김, 지식여행, 2010.
41 90세에 시를 쓰기 시작하여 99세에 첫 시집 『약해지지 마』를 출간한 일본의 시인.
42 위키백과 http://ko.wikipedia.org/wiki/%EC%A4%912%EB%B3%91

아마추어로 산다는 것
* 이병률, 『당신은 어딘가로 가려 한다』, 문학동네, 2005.

소중히 쟁여놓은 외할머니의 빨간 내복
* 빈센트 반 고흐, 신성림 엮고 옮김, 『반 고흐 영혼의 편지』, 예담, 2005.

생의 반환점에 들어서려는 그대에게
* 김수영, 『김수영 전집 1』, 민음사, 2003.
43 김훈, 『자전거 여행』, 생각의나무, 2000, 17쪽.
44 고은, 『순간의 꽃』, 문학동네, 2001.
45 「이상은 '담다디' 데뷔 25년, 치유의 음악 추구하는 아티스트」, 중앙일보, 2012년 1월 28일.

천 번을 흔들려야 어른이 된다

ⓒ김난도 2012

1판 1쇄 | 2012년 8월 28일
1판 10쇄 | 2012년 11월 19일

지은이 김난도
펴낸이 강병선
책임편집 이연실 | 편집 김소영 박영신 염현숙 | 디자인 이보람 최미영
마케팅 신정민 서유경 우영희 정소영 강병주 나해진
온라인마케팅 김희숙 김상만 이원주
제작 서동관 김애진 임현식 | 제작처 영신사

펴낸곳 (주)문학동네
출판등록 1993년 10월 22일 제406-2003-000045호
임프린트 오우아
주소 413-756 경기도 파주시 문발동 파주출판도시 513-8
전자우편 editor@munhak.com | 대표전화 031)955-8888 | 팩스 031)955-8855
문의전화 031)955-8890(마케팅) 031)955-2651(편집)
문학동네카페 http://cafe.naver.com/mhdn | 트위터 @munhakdongne

ISBN 978-89-546-1898-4 03810
* 오우아는 문학동네 출판그룹의 임프린트입니다.
* 이 책의 판권은 지은이와 문학동네에 있습니다.
  이 책 내용의 전부 또는 일부를 재사용하려면 반드시 양측의 서면 동의를 받아야 합니다.
* 이 도서의 국립중앙도서관 출판시도서목록(CIP)은 e-CIP 홈페이지(http://www.nl.go.kr/ecip)
와 국가자료공동목록 시스템(http://www.nl.go.kr/kolisnet)에서 이용하실 수 있습니다.
  (CIP제어번호: CIP2012003759)

www.munhak.com